Les filles de
GRAND GALOP

BIOGRAPHIE

Bonnie Bryant est née et a grandi à New York. Elle y vit toujours, à Greenwich Village, avec ses deux fils. Elle est notamment l'auteur de la célèbre série Grand Galop, qu'elle a commencé à écrire en 1986. Bien sûr, elle monte à cheval, mais en écrivant les aventures de Steph, Carole et Lisa, elle a beaucoup appris sur le monde des chevaux... Même si elle avoue que ses héroïnes sont bien meilleures cavalières qu'elle !

Titre original
PINE HOLLOW n°1
The Long Ride

© 1998, Bonnie Bryant Hiller
© 2006, Bayard Éditions Jeunesse
© 2009, Bayard Éditions
pour la traduction française avec l'autorisation de
Curtis Brown, Ltd
Loi n°49 956 du 16 juillet 1949
sur les publications destinées à la jeunesse.
Dépôt légal : juin 2006
ISBN : 978 2 7470 1936 1
Imprimé en France par CPI - BRODARD ET TAUPIN
N° d'impression : 66284
Illustration de couverture : Claude Cachin

Accident
de parcours

Bonnie Bryant

**Traduit de l'américain
par Anouk Journo-Durey**

HUITIÈME ÉDITION
bayard jeunesse

À ma sœur, Penny Carey... Et merci à Sir « B » Farms,
ainsi qu'à Laura et Vinny Marino.

Prologue

C'était une de ces belles journées d'été, avec un soleil radieux, un ciel azur, sans un nuage. Il faisait juste un peu trop chaud ; l'air était lourd, orageux.

Ce samedi après-midi, Carole Hanson, Stéphanie Lake et Callie Forester roulaient en direction de l'aéroport de Washington. Steph conduisait, très fière. Et il y avait de quoi : elle venait d'obtenir son permis ! « Elle ne craint pas de prendre le volant sur l'autoroute », songea Carole, admirative. Et tant mieux ! Elles allaient dire au revoir à Lisa Atwood, leur grande amie d'enfance à toutes deux, qui s'envolait pour la Californie. À cette heure, personne d'autre n'avait pu les accompagner.

Carole était impatiente de voir Lisa avant son départ. Seul point noir : la présence de Callie Forester dans la voiture. Pourquoi Steph avait-elle tenu à l'emmener ? Callie n'était pas vraiment leur amie, seulement une nouvelle cavalière du Pin creux, leur club d'équitation à Willow Creek. Et la fille d'un riche et célèbre député, dont le coûteux pur-sang était en pension au centre équestre. Carole la trouvait hautaine, arrogante, en un mot, désagréable. Mais Steph, elle, semblait apprécier Callie, peut-être parce que leurs maisons respectives se situaient dans le même quartier chic.

— Il y a du monde ! soupira Steph.

Sa remarque tira Carole de ses réflexions. En effet, le trafic était dense, en cette journée de week-end. L'œil rivé au rétroviseur, Steph ne cessait de doubler les voitures de la file de droite et de se rabattre ensuite. Une manœuvre délicate que la jeune conductrice effectuait prudemment.

— C'est sûr, ce serait plus facile à cheval ! observa Carole avec humour.

— Tout est toujours mille fois plus facile à cheval !

— Vous croyez qu'on arrivera à temps ? s'inquiéta Callie, qui était assise sur la banquette arrière.

— Mais oui ! répondit Steph d'un ton léger.

— De toute façon, Lisa n'embarque que dans une heure, ajouta Carole.

— Alors, ça ira, affirma Callie. On pourra la voir.

« On… » De nouveau, Carole éprouva une sourde irritation. Callie n'avait rien à faire avec Steph, Lisa et elle à un moment pareil. Rien à échanger, rien à dire, rien à partager !

S'efforçant de surmonter sa mauvaise humeur, la jeune fille reporta son attention sur la circulation, qui s'écoulait au ralenti. Était-ce à cause du temps orageux ? De la touffeur ambiante ?

Enfin, un quart d'heure plus tard, Steph emprunta la bretelle d'accès menant au terminal 3 de l'aéroport. Elle s'engagea dans le parking, prit un ticket et se gara, réussissant son créneau du premier coup. Soulagée qu'elles soient parvenues à destination, Carole applaudit :

— Bravo, ma vieille !

— Oui, vive moi ! s'exclama Steph en riant. Je me débrouille bien, non ? Comme si j'avais conduit toute ma vie !

— C'est vrai, félicitations, renchérit Callie. Moi, j'ai mon permis depuis quelques mois, mais en ce moment je n'ai pas le droit de prendre la voiture.

— Ah bon ?… Qu'est-ce que tu as fait ? voulut savoir Steph.

— J'ai roulé un peu trop vite. Résultat : avertissement de la police, plus méga punition de la part de mon père. Je ne te l'avais pas dit, Steph ? C'est pour ça que je suis coincée chez moi, ou au Pin creux !

– Oui, oui, répondit Steph d'un ton distrait, tandis qu'elles se dirigeaient vers le hall. Je me demande où est Lisa !

Carole scruta la foule :

– Logiquement, elle devrait être à la cafétéria.

– Et Lisa est toujours logique, dit Steph.

Les jeunes filles traversèrent le hall d'un pas vif, se dirigeant vers le café-restaurant du terminal.

– Gagné ! s'exclama joyeusement Steph quelques secondes plus tard en désignant, à l'intérieur de la salle, un jeune couple enlacé sur une banquette.

Blottis l'un contre l'autre, Lisa et Alex se parlaient comme s'ils étaient seuls au monde. L'espace d'un instant, Carole songea que l'apparition inopinée de ses amies ne leur plairait peut-être pas... Lisa ne savait pas qu'elles viendraient ! C'était une surprise, bonne pour elle, mais mauvaise pour Alex, qui devait rêver d'intimité.

Sans hésiter, Steph s'engouffra dans la cafétéria, suivie par Carole et Callie :

— Salut, les amoureux !

Lisa poussa un cri de joie. Alex fronça les sourcils. Carole ébaucha un sourire un peu gêné. Eh oui, il aurait sûrement préféré ne pas être dérangé par les meilleures amies de sa petite copine ! Lisa partait pour la Californie retrouver son père, sa belle-mère et leur bébé — la demi-sœur de Lisa. Ça, c'était le côté pile. Côté face : elle serait séparée — provisoirement, certes — d'Alex.

— C'est ton idée, je parie ? marmonna le garçon, en regardant Steph d'un air sombre.

Alex était le frère jumeau de Steph. Tous deux s'adoraient autant qu'ils se disputaient. À cet instant, Carole était certaine qu'il détestait sa sœur.

— Euh... oui, avoua piteusement Steph.

Elle jeta un coup d'œil à Carole, qui se contenta de hausser les épaules. Alex avait raison. « On débarque avant l'embarquement pour un dernier au revoir ! » avait proposé Steph la veille, avec sa fougue habituelle. Naturellement, Alex n'avait pas été mis dans la confidence. Il se serait opposé à leur projet !

— Eh bien, moi, je suis super contente que vous soyez là, s'exclama Lisa, les yeux brillants, en se levant pour les embrasser toutes les trois. Dire que je croyais ne plus voir vos billes de clown avant le mois de septembre, ajouta-t-elle à l'intention de Steph et Carole.

— Tu pensais vraiment que tu te débarrasserais de nous aussi facilement ? plaisanta Steph.

Elle s'installa à côté de Lisa et Alex. Carole et Callie prirent place en face.

— Vous voulez boire quelque chose ? s'enquit Callie en se relevant aussitôt.

Lisa lui sourit. Ses longs cheveux châtains étaient noués en queue de cheval, et l'émotion rosissait ses joues.

– C'est plutôt à nous de te demander ça. Tu…

– En fait, je préfère vous laisser un peu entre vous, l'interrompit gentiment Callie.

– Je veux bien un thé glacé, dit Carole, appréciant la discrétion inattendue de la jeune fille. J'ai de la monnaie…

– Je peux payer, ne t'inquiète pas.

Callie interrogea Steph du regard.

– J'aimerais la même chose que Carole, dit celle-ci. Tu es sympa, Callie. Merci !

Croisant le regard de Steph, Carole sentit encore une fois que toutes deux ne percevaient pas Callie de la même manière. Contrairement à Steph, Carole se méfiait d'elle…

Autant qu'elle se méfiait de Fez, le pur-sang de Callie, dont elle devait s'occuper au Pin creux. Un devoir, oui, bien plus qu'un plaisir.

– Ouh, ouh, Carole ! Reviens sur terre ! lança Lisa d'un ton moqueur.

Carole s'obligea à sourire :

– Ça va, toi ?

– Oui, très bien…

Lisa regarda Alex, et une ombre se refléta sur son visage.

– Enfin, presque bien. Je suis triste de laisser Alex…

– Triste ? Et pourquoi donc ? rétorqua Alex avec une pointe d'ironie. Cet été, tu te prélasseras sur une plage du Pacifique et tu fréquenteras des stars de Hollywood, pendant que moi, je tondrai les pelouses de nos voisins pour gagner un peu d'argent de poche. Tu n'as aucune raison d'être triste !

Carole et Steph échangèrent un bref coup d'œil. Elles comprenaient la réaction d'Alex. En Californie, Lisa retrouverait, outre sa famille, le séduisant Skye Ransom, ami des trois jeunes filles depuis longtemps[1]. Acteur de cinéma, Skye avait décroché le premier

1. Lire *Une star au Pin creux*, Grand Galop n° 619.

rôle d'une série télévisée se déroulant dans un ranch. Et qui soignerait les chevaux pendant le tournage ? Lisa !

Évidemment, Steph et Carole avaient été un peu jalouses. Mais, en même temps, elles étaient très heureuses que Lisa puisse vivre une expérience aussi fabuleuse. Ce n'était pas le cas d'Alex. Lui était jaloux tout court.

— Je te jure que Skye est juste un ami, affirma Lisa en prenant la main d'Alex dans la sienne. Toi, tu es dans mon cœur, et je...

Une annonce diffusée par les haut-parleurs l'interrompit brusquement.

— C'est mon vol, dit Lisa après une brève hésitation. L'embarquement commence. Il faut que je me présente aux guichets de la sécurité, et ensuite porte...

— 14, compléta Alex. Lisa, le moment est venu...

Il se tut. À ce moment-là, Callie apporta les boissons commandées par Steph et

Carole. Elle hocha la tête :

— Eh bien, on les boira plus tard… C'est ton vol qui vient d'être annoncé, Lisa ?

— Bingo.

Lisa se leva lentement, et Alex l'imita. Tous deux avaient l'air grave, un peu embarrassé. Pour ces derniers instants qu'ils passaient ensemble, ils avaient manifestement envie d'être seuls.

— OK, les amoureux, on vous laisse, dit Steph. Lisa, envoie-nous un e-mail dès que tu peux, d'accord ? Bon voyage…

Des larmes brouillèrent le regard de Lisa :

— Merci. Vous allez drôlement me manquer…

*

Steph s'installa au volant, Carole se glissa sur le siège côté passager et, comme à l'aller, Callie s'assit sur la banquette arrière.

— Quand je pense que Lisa s'en va pour

tout l'été ! murmura Carole, en proie à une énorme sensation de vide.

Le départ de Lisa l'affectait plus qu'elle ne l'avait imaginé.

– Oui, ce sera très long, soupira Steph. On n'a jamais été séparées si longtemps…

Elle mit le moteur en marche et quitta le parking de l'aéroport.

– Mais elle n'a pas le choix. Une partie de sa famille est loin d'ici. Son père et sa belle-mère veulent la voir… C'est la vie ! conclut-elle avec philosophie.

– C'est la vie, répéta Carole. N'empêche, par moments, je regrette les vacances qu'on passait ensemble lorsqu'on était plus jeunes ! On jouait, on rigolait, on montait à cheval le plus souvent possible…

– C'était «toutes pour une, une pour toutes» ! renchérit Steph.

– Vous êtes très amies, vous trois, pas vrai ? intervint Callie.

– Très, très, très ! dit Steph. Il y a sept ans,

quand on était gamines, on a même créé un club !

— Un club ?

— Eh oui… Le Club du Grand Galop, lui apprit Steph en riant. Pour les passionnées d'équitation, comme nous !

— Et on avait une règle très stricte, précisa Carole, se remémorant avec joie cette époque finalement encore bien proche. On devait s'aider, coûte que coûte, quoi qu'il arrive !

— « Toutes pour une, une pour toutes ! » énonça de nouveau Steph. Ce qui n'a pas changé, d'ailleurs. On fait peut-être moins de choses ensemble, mais on est toujours solidaires…

— Et on aime toujours autant les chevaux, ajouta Carole.

— Votre club existe encore ? demanda Callie avec curiosité.

— Oh, pas vraiment, avoua Steph. Aujourd'hui, on a trop d'occupations pour penser aux rigolades. Le lycée, c'est sérieux… Trop sérieux, même !

Elle s'était engagée sur l'autoroute sans problème. La circulation était plus fluide… Et le ciel plus sombre, remarqua aussi Carole.

— Vous avez vu ces nuages ? murmura-t-elle, soudain étrangement oppressée.

Les premières gouttes de pluie s'écrasèrent sur le pare-brise. Quelques secondes plus tard, un éclair zébra le ciel, et le tonnerre gronda au loin.

— Brr… De vilains nuages d'orage, commenta Steph en mettant les essuie-glace en marche.

— D'un très gros orage, observa Carole.

Callie garda le silence.

L'atmosphère s'obscurcissait de minute en minute. Lorsque Steph quitta l'autoroute pour emprunter la nationale menant à Willow Creek, le ciel était devenu noir comme de l'encre. Puis, tout à coup, une averse incroyablement violente s'abattit, crépitant sur le toit et le capot. Steph augmenta la vitesse des essuie-glace, mais ils avaient du mal à balayer les torrents de pluie. Elle scrutait la route, visiblement hésitante.

— Et si on s'arrêtait ? suggéra-t-elle.

— Pourquoi ? objecta Callie. Roule doucement, et ça ira…

— Tu sais, je ne risque pas de foncer, rétorqua Steph. J'y vois tout juste à un mètre.

— Sauf erreur de ma part, dans une voiture on est à l'abri de la foudre, dit Carole.

Sous les trombes d'eau, les rares véhicules avançaient lentement, les feux allumés. Une voiture les suivait, et Carole eut l'impression que le reflet de ses phares dans le rétroviseur gênait Steph. Peu rassurée, elle s'efforça de fixer la route, comme si elle-même conduisait. Et là, brusquement, elle se souvint du cheval.

Fez !

Il était dehors, sous cet orage.

— Mon Dieu… J'ai laissé Fez dans le pré, lâcha-t-elle.

— Quoi ? Fez est dehors ? Mais il va mourir de peur ! s'écria Callie.

Fez était le précieux pur-sang qu'elle avait mis en pension au Pin creux.

— Il avait besoin de sortir, de prendre l'air, se justifia Carole, mal à l'aise. Je ne pouvais pas prévoir qu'il y aurait un orage.

— C'est ton rôle, de prévoir, répliqua sèchement Callie. Tu travailles au Pin creux, oui ou non ? Je t'ai confié mon cheval !

— Désolée, balbutia Carole, la gorge nouée. Écoute, on arrive bientôt. Avec un peu de chance, quelqu'un l'aura peut-être rentré.

— J'espère ! lança Callie d'un ton cinglant. Fez est un champion qui vaut une fortune.

— Bon ! intervint Steph pour mettre un terme à la tension qui régnait entre les deux jeunes filles. Callie, je t'avais proposé de t'emmener à la sellerie cet après-midi, mais je crois que ce sera pour une prochaine fois !

– C'est sûr. Il y a urgence, marmonna Callie. Je m'inquiète trop pour Fez.

Le silence retomba dans la voiture. Il pleuvait toujours avec la même violence, et les vitres se couvraient d'une épaisse buée. Enclenchant la ventilation, Steph se concentra sur sa conduite. Heureusement, les feux rougeoyants du véhicule qui les précédait l'aidaient à se repérer.

– Les filles, là, pour moi, c'est pire que de passer le permis. Ce sera mon baptême du feu ! dit-elle, essayant de plaisanter.

Personne ne rit.

Steph s'engagea enfin sur l'étroite départementale qui menait au centre équestre.

Le long de la route, les barrières blanches du Pin creux délimitaient les pâtures où se trouvaient quelques chevaux. «Dont Fez, peut-être», pensa Carole avec angoisse.

— Je vous dépose au centre et je file à la pizzeria, annonça Steph d'une voix crispée. J'arriverai un peu en retard, mais tant pis ! Personne ne commande de pizza à cinq heures de l'après-midi !

— Tu négliges déjà tes obligations professionnelles ? se moqua Carole, retrouvant momentanément sa bonne humeur. Franchement, tu devrais prendre ton travail plus au sérieux !

Quelques instants, l'atmosphère se détendit.

— Chère mademoiselle Hanson, sachez que je les prends très au sérieux, affirma Steph, pince-sans-rire. Dans ce véhicule, j'ai emporté ma tenue complète. À ce propos, vous avez admiré ma coiffe de livreuse de pizzas ? Callie, cette… chose est sur la banquette, à côté de toi.

— Exact, s'esclaffa la jeune fille, en montrant une sorte de casquette médiévale, ornée d'une plume façon Robin des Bois. Tu dois vraiment porter ce machin ridicule ?

— Hélas, mille fois hélas, répondit Steph d'un ton plaintif. Mais si allure et ramure m'assurent moult pour*bures,* je...

Un roulement de tonnerre fracassant l'interrompit. Toutes les trois sursautèrent.

— C'est dingue ! murmura Steph en se penchant pour scruter la route.

— Vivement qu'on arrive, dit Carole. Et... Steph, attention !

Une succession d'éclairs venait de zébrer le ciel, illuminant une forme sombre qui fonçait droit vers leur voiture. Une ombre massive qui semblait surgir de nulle part, à toute allure...

— Steph ! cria Carole d'une voix étranglée par l'angoisse.

— Attention ! hurla Callie.

Steph braqua le volant, cherchant désespérément à éviter la collision.

Une première secousse ébranla le véhicule, qui fit un tête-à-queue ; puis une seconde, aussi brutale. Il y eut un choc sourd, suivi d'un hennissement déchirant. Steph essaya de contrôler la voiture, mais les roues ne lui obéissaient plus, dérapaient sur le sol glissant...

Chapitre 1

Quelques jours plus tôt, un mercredi...

— Début de la reprise dans cinq minutes ! Tout le monde dans la carrière, s'il vous plaît !

Carole entendit sa voix résonner à travers les écuries, amplifiée par les haut-parleurs. À chaque fois, cet écho faisait battre son cœur plus vite. Elle se sentait si fière... Un peu comme si elle était responsable du groupe auquel elle s'adressait !

Comme si c'était elle qui allait donner le cours d'équitation.

Ce qui n'était pas le cas, bien sûr. Pas

encore, du moins! Pour l'instant, elle aidait Max Regnery, le propriétaire du Pin creux et le principal moniteur d'équitation. Carole avait été embauchée pour tout l'été : chaque matin, elle se chargeait de l'accueil et de l'intendance du club hippique. Elle choisissait également les chevaux pour les cavaliers de niveaux débutant et intermédiaire. Dans la mesure où elle fréquentait le Pin creux depuis sept ans, elle connaissait le caractère, les qualités et les défauts de chaque monture, ce qui s'avérait essentiel pour cette délicate mission !

Surtout, elle adorait les chevaux.

Depuis qu'elle s'était hissée sur un poney pour la première fois, à l'âge de quatre ans, cette passion ne l'avait plus quittée. Elle chérissait son propre cheval, Diablo, un superbe hongre bai, mais admirait, appréciait et respectait tout autant les autres chevaux. Ses amies, son père, Max, et même ses professeurs, savaient que, grâce aux chevaux et à l'amitié qu'elle partageait avec eux, Carole avait réussi à surmonter la mort de sa mère, survenue plusieurs années auparavant. Elle avait aussi mieux accepté le métier très prenant de son père, alors colonel des marines. Aujourd'hui, M. Hanson était à la retraite, ce qui simplifiait beaucoup la vie de Carole. Elle pouvait se consacrer plus librement à ce qui lui tenait tant à cœur : les chevaux et la vie au Pin creux !

« Dire qu'avant c'était Mme Reg qui effectuait tout ce travail toute seule ! » songea Carole en regardant la pile de dossiers sur son bureau. Incroyable ! Pour remplacer la mère de Max, qui venait de déménager en Floride et se reposait enfin, Max employait deux personnes : Carole, le matin, et Denise Mac Caskill, une autre jeune cavalière, l'après-midi. Et à elles deux elles peinaient à tout accomplir en temps et en heure.

— Carole !

L'exclamation agacée d'une fillette ramena Carole à la réalité.

— Oui, Alexandra ?

— Moi, je veux monter le pinto !

Alexandra, dix ans, venait de s'engouffrer dans le bureau. Poings sur les hanches, elle regardait Carole d'un air indigné.

— Justine l'a eu la semaine dernière, donc c'est à mon tour ! ajouta-t-elle d'un ton plaintif. Tu ne peux pas me donner Nickel encore une fois… Je l'ai eu lundi dernier, et il a été trop désagréable !

À ce moment-là, la dénommée Justine fit irruption dans la pièce :

— Alexandra, tu rigoles, ou quoi ? Si Carole a choisi Patch pour moi, je monterai Patch, voilà !

Carole sourit gentiment à Alexandra.

— Elle a raison. Écoute, si tu as eu des ennuis avec Nickel la semaine dernière, c'est parce que tu ne le maîtrisais pas bien. Aujourd'hui, tu n'auras pas de problème avec lui. Il suffit que tu le contrôles correctement. Par contre, tu risques d'avoir des problèmes avec Max si tu n'es pas à l'heure pour la reprise !

Alexandra lui lança un regard noir ; Justine ébaucha un sourire satisfait. Les ignorant l'une et l'autre, Carole appuya de nouveau sur le bouton du micro relié au système de haut-parleurs.

— Rendez-vous à la carrière dans deux minutes !

Les fillettes quittèrent la pièce en courant. Carole soupira. « Étais-je aussi agaçante au même âge ? » se demanda-t-elle, perplexe et amusée à la fois.

— Salut, Carole !

Ben Marlow venait d'apparaître sur le seuil du bureau, l'air un peu embarrassé, comme toujours. C'était un grand jeune homme brun, très mince, presque maigre, au visage doux et sombre.

— Salut, dit Carole en souriant.

Elle aimait bien Ben. Il travaillait à plein temps au Pin creux, comme palefrenier mais également dresseur et apprenti-soigneur. Il pouvait aussi seconder Max lors de certaines reprises, selon leurs niveaux. Carole était émerveillée par tout ce qu'il savait faire ! À ses yeux, Ben possédait un don. Il communiquait avec les chevaux dans un langage mystérieux, un peu comme un chuchoteur. En fait, il parlait plus facilement aux chevaux qu'aux humains...

– Le box est prêt pour notre nouveau pensionnaire, annonça-t-il. Enfin, presque. Il ne manque qu'un petit détail.

– Je sais.

Carole ouvrit le tiroir de la table de travail et en extirpa la plaque en bronze portant l'inscription «FEZ». Le graveur la leur avait envoyée le matin même, juste à temps.

– Tiens, dit-elle en la tendant à Ben. À toi de la fixer !

Ben examina la plaquette soigneusement lustrée.

– Joli travail ! Ce Fez n'est pas un cheval

comme les autres… Un champion, c'est ça ?

— Il paraît. Quant à sa maîtresse, c'est la fille du député Forester, qui travaille à Washington, précisa Carole.

— Ah oui, on l'a vu à la télé, il y a quelques jours. Et qu'est-ce que tu sais sur Fez ?

Évidemment, il s'intéressait surtout au cheval ! Réprimant un sourire, Carole prit le dossier établi par Max, l'ouvrit et lut :

— « Pur-sang arabe, champion catégorie endurance. Nombreux prix. Monté par Callie Forester, seize ans, médaillée une dizaine de fois. Commentaires : Fez sera acheté par la famille Forester si les tests sont concluants. » Voilà.

— Si les tests sont concluants ! répéta Ben avec une pointe de mépris. Comme s'il s'agissait d'une machine… Merci, Carole. À plus tard.

Et il quitta le bureau.

« Typique. Ben en sait suffisamment sur le

pur-sang en question, et il préfère retrouver la tranquillité des écuries ! » songea Carole.

Mais, au fond d'elle-même, elle le comprenait. « Vivement vendredi », se dit-elle en refermant le dossier de Fez. Dans deux jours, avec Steph et Lisa, ses deux meilleures amies, elle partirait à cheval, pour une longue balade en forêt. À leur manière, elles célébreraient ainsi une occasion particulière : le départ de Lisa en Californie, pour toutes les vacances d'été.

Elle était triste que Lisa s'en aille pour aussi longtemps. Steph aussi. Et Lisa tout autant. En partageant ce moment – rien que toutes les trois, avec leurs chevaux, dans la campagne entourant le Pin creux –, elles scelleraient leur pacte d'amitié une fois de plus.

Cela faisait sept ans qu'elles se connaissaient, et elles demeuraient très proches, complices. Elles aimaient autant les chevaux et elles se complétaient à merveille : Lisa était la plus logique, la plus sage ; Steph, la plus extravertie, la plus farfelue. « Je suis sans doute la plus réservée », pensa Carole. Et dire que toutes les trois fêteraient bientôt leurs dix-huit ans !

Quelques instants, la jeune fille laissa les souvenirs affluer à sa mémoire. Le Club du Grand Galop qu'elles avaient créé des années auparavant... Les aventures − et mésaventures − qu'elles avaient vécues au Pin creux... Les anniversaires... Les premières soirées... Les premiers baisers... Steph et Phil, qui sortaient ensemble depuis si longtemps, maintenant... Lisa et Alex, le frère jumeau de Steph... Entre eux, tout avait commencé six mois plus tôt. Steph et Carole en étaient restées baba ! Qui aurait pu imaginer que Lisa et Alex, qui s'étaient vus grandir, formerait un couple ? C'était si drôle !

Un claquement régulier résonnant dans le couloir arracha Carole à ses rêveries. Elle reconnut le bruit familier des béquilles d'Émilie Williams, une jeune cavalière handicapée avec laquelle elle était très amie.

Émilie parut sur le seuil de la pièce, un chaleureux sourire aux lèvres :

— Coucou, Carole ! Ça va ?

— Oui, merci. Et toi ?

— Moi ? Toujours en pleine forme ! s'exclama gaiement Émilie.

Elle s'assit dans le fauteuil qui faisait face au bureau de Carole, posa ses béquilles par terre et croisa les bras.

— Je viens souffler un peu ! Je ne te dérange pas ?

— Jamais ! dit Carole en souriant.

Elle admirait beaucoup Émilie, mais savait qu'elle ne devait pas le lui avouer. Émilie refusait qu'on la juge différente des autres. Et, de fait, elle réussissait à faire oublier son handicap.

Émilie souffrait d'une paralysie musculaire au niveau des jambes, due à un problème congénital. Parfois, quand elle était très fatiguée, elle se déplaçait en fauteuil roulant. Mais, à cheval, la jeune fille redevenait comme tout le monde… « Grâce à mon Prince charmant, je suis libre comme le vent ! » affirmait-elle souvent. Prince charmant – qu'elle appelait simplement PC – était son cheval, un bel alezan trapu et docile.

– Ça tombe bien que tu viennes me voir ! J'ai quelque chose à te demander. Un petit service, précisa Carole.

– Tout ce que tu veux !

– Est-ce que tu pourrais me remplacer après-demain matin ? J'ai organisé une balade avec Steph et Lisa, et…

– Je serai là. À une seule condition : je ne veux pas décider qui, parmi les débutants, monte Nickel ou Patch ! C'est trop compliqué… Pire qu'une affaire d'État !

Carole se mit à rire :

– Ne t'inquiète pas, je préparerai la liste des chevaux et de leurs cavaliers. Il s'agit juste de répondre au téléphone et d'assurer l'accueil...

— Tu peux compter sur moi.

— Génial! Merci, Émilie. Au fait, tu sais qu'un nouveau pensionnaire arrive ce matin? poursuivit Carole. Un certain Fez, un pur-sang que Max tient à chouchouter.

— Oui, j'en ai entendu parler.

Fronçant les sourcils, Émilie ajouta:

— Tu sais pourquoi il veut bichonner ce cheval?

— Hum... Sans doute parce que sa maîtresse est la fille d'un homme politique qui travaille au Congrès.

— Callie Forester?

— Tu la connais? s'étonna Carole.

— Non, j'ai lu un article sur elle dans je ne sais plus quel journal. Je crois qu'elle avait remporté une médaille en compétition d'endurance.

— Oui, c'est elle: ça colle avec ce que Max a écrit dans le dossier de Fez. Miss

Forester loue ce pur-sang pour l'été, et, si entre eux c'est le grand amour, ses parents le lui achèteront !

— Elle va le tester ? demanda Émilie.

— Exactement.

Carole sentit une bouffée d'appréhension l'envahir. Depuis qu'elle travaillait au Pin creux, elle veillait à ce que les chevaux – et leurs cavaliers, bien sûr – se sentent à l'aise et détendus, en confiance. Cela faisait partie de la mission que lui avait confiée Max, et elle pensait y parvenir plutôt bien.

Or, pour une raison qui lui échappait, avant même leur arrivée, Fez et Callie la rendaient nerveuse.

Très nerveuse.

Chapitre 2

Par la suite, Carole pensa qu'elle avait dû avoir un mauvais pressentiment... Comme si elle avait été mentalement «reliée» à ce mystérieux pur-sang appelé Fez.

Elle pensa que Fez devait avoir eu une sorte de prémonition instinctive, lui aussi.

Dès l'instant où le van transportant le noble champion se gara dans la cour du Pin creux, les ennuis commencèrent et se poursuivirent en cascade.

Parti six heures plus tôt d'un haras de Virginie de l'Ouest, Fez n'avait pas apprécié le voyage. Et il le manifesta férocement! Carole et Ben eurent toutes les peines du monde à le faire sortir du véhicule. Le cheval s'agita, se cabra, renâcla, chercha à donner des coups de sabots… Il fallut toute la patience, tout le talent de Ben pour amadouer l'animal. Ils réussirent à lui masquer les yeux avec un foulard. La seule solution – triste, mais efficace –, compte tenu de la situation. Plongé dans le noir, Fez fut bien obligé de céder et de se laisser guider hors du van, puis jusqu'à son box.

C'était un magnifique pur-sang à la robe fauve, aux aplombs puissants. Cependant Carole sut aussitôt qu'il ne s'adapterait pas facilement à son nouveau lieu de résidence. Plus grave encore, elle éprouva un malaise diffus face à lui, ce qu'elle n'avait jamais – mais alors jamais – ressenti de sa vie. Jusqu'à présent, quel que soit le cheval, elle avait toujours su comment communiquer avec lui.

Là, c'était impossible. Fez dégageait quelque chose d'insaisissable, qui l'effrayait presque.

Pendant que Ben conduisait le cheval à

son box, Carole retourna au bureau. Callie serait bientôt là, et elle voulait compléter le dossier d'admission de Fez avant l'arrivée de la jeune fille. Formulaires de transport, carnet de vaccinations, horaires des repas, comptes rendus d'entraînement... Tous ces documents étaient déjà classés, dûment remplis. À présent, elle devait noter ses commentaires concernant l'accueil de Fez.

Elle s'assit à sa table de travail, prit une feuille blanche et un stylo. Au Pin creux, l'informatique n'était pas encore appliquée au quotidien, et dans un sens c'était tant mieux... Carole n'aimait pas trop pianoter sur un clavier. À peine eut-elle écrit quelques mots que le téléphone sonna. C'était Steph.

— Je l'ai eu ! s'exclama son amie à l'autre bout du fil.

Fidèle à ses habitudes, elle entamait directement la conversation, sans même dire bonjour.

— Quoi ? fit Carole.

— Comment ça, « quoi » ? Mon permis, tiens !

— Super ! s'exclama Carole. Et Alex ?

— Pff... Mon gros nul de frère l'a raté.

— Sans blague ?

— Non, en réalité, il l'a eu. Mais il a failli le rater.

Carole sourit. Entre Steph et Alex, la rivalité était permanente. Évidemment, Steph essayait toujours d'être plus performante que son frère !

— Maintenant, on doit vite s'organiser, Alex et moi, poursuivit Steph d'un ton enjoué. Sam nous a laissé sa voiture : il n'en a plus besoin depuis qu'il est à la fac. Cool, non ? Donc, il faut que j'aie un job pour payer ma part d'assurance. Et figure-toi, ma vieille, que c'est fait...

— Tu as un travail ?

— Presque. J'ai rendez-vous tout à l'heure à la pizzeria Bel Canto. Ils embauchent un livreur possédant permis B et véhicule. C'est urgent. Ils doivent remplacer Elroy, un des copains d'Alex, qui a démissionné, et, comme j'ai permis et voiture, je…

– Reprends ton souffle ! l'interrompit Carole en riant.

Elle entendit son amie pousser un long soupir.

– Oui… Tu as raison, je parle trop vite.

– Non, tu crois ?

De nouveau, Carole éclata de rire :

– En tout cas, bravo, Steph !

– Merci. Ce que je veux maintenant, c'est obtenir ce travail. Là, je serai vraiment contente de moi, confia Steph.

– Je comprends. Pour changer de sujet, j'ai aussi une bonne nouvelle, annonça Carole. Émilie peut me remplacer après-demain. Donc, Lisa, toi et moi, on pourra faire notre grande balade à cheval avant ce-que-tu-sais.

– Super…

Steph soupira encore.

— Ce-que-tu-sais désespère Alex, ajouta-t-elle d'un ton mi-figue, mi-raisin. Il ne parle plus que de ça, matin, midi et soir. Soir, midi et matin. Midi, ma... Bref, tout le temps. Que Lisa passe l'été si loin de lui, de nous, c'est vraiment...

— Trop triste, murmura Carole, fixant des yeux la page blanche qu'elle devait remplir.

Callie arriverait bientôt, et le dossier de Fez ne serait pas complet ! Elle se sentit très stressée, ce qui l'énerva encore plus. Elle qui était réputée pour son sens de l'organisation !

— Mais, après tout, Lisa va retrouver son père, poursuivait Steph. Je suis drôlement contente qu'Émilie puisse te remplacer au bureau... J'ai hâte qu'on fasse cette promenade ! On partira vers dix heures ?

— Oui, juste après avoir préparé nos chevaux. Moi aussi, j'ai hâte !

— Bon... Je file à la pizzeria. Je parie que

le patron m'attend avec impatience. Il sait déjà que je suis irremplaçable !

Carole raccrocha en riant. Steph ne changerait jamais. Depuis qu'elle la connaissait, elle avait toujours été exubérante. Et Lisa, toujours calme, posée. Ce qui ne l'empêchait pas de vivre des expériences peu ordinaires. Ainsi, deux jours plus tôt, elle leur avait annoncé qu'elle reverrait Skye Ransom en Californie. Skye était un jeune acteur – doué, mignon, mais mauvais cavalier – que les jeunes filles avaient rencontré des années plus tôt, à New York, et qu'elles avaient aidé lors d'un tournage. Depuis, ils étaient restés amis. Cet été, Skye jouait dans une série télévisée dont l'action se déroulait dans un ranch. En découvrant que Lisa vivrait non loin de son lieu de tournage, il lui avait appris que son équipe recherchait quelqu'un pour seconder le dresseur et le soigneur de chevaux sur place. Un job de rêve pour Lisa !

Le sourire aux lèvres, Carole se plongea de nouveau dans son travail. Elle écrivit «Fez» en haut de la feuille et commença à rédiger ses commentaires :

« *Fez a dû être perturbé par son voyage. Il a refusé de descendre du van, et il a fallu lui bander les yeux pour...* »

On frappa à la porte. Levant les yeux, elle aperçut un jeune homme blond aux yeux bleus.

— Bonjour, mademoiselle. Je cherche Callie, dit-il en s'avançant vers elle.

— Callie Forester ? Je l'attends. Son cheval, lui, est déjà là, répondit poliment Carole.

— Ah ! Le fameux Fez ? Je ne l'ai jamais vu, mais j'ai entendu parler de lui ! Je me présente : Scott Forester, le grand frère de Callie, ajouta-t-il avec un sourire charmeur.

Tout en lui exprimait l'aisance et la confiance de quelqu'un qui a tout ce qu'il désire. Carole lui rendit son sourire, essayant de paraître aussi décontractée que possible.

— Enchantée ! Je suis Carole Hanson, cavalière expérimentée, et aussi apprentie-secrétaire, assistante-palefrenière, assistante-monitrice.

— Tout ça à la fois ? Je suis très impressionné, commenta Scott en inclinant la tête avec respect.

— Je ne travaille ici que le matin, cet été, précisa Carole.

— Alors, heureusement que je ne suis pas venu un après-midi d'automne !

Carole ne put s'empêcher de rire. Quel séducteur !

— Content de te rencontrer, Carole, reprit Scott.

— Moi de même. Bienvenue au Pin creux ! Tu montes à cheval ? poursuivit-elle.

Question inévitable ! À sa grande surprise, Scott secoua la tête :

— Pas du tout. J'accompagne ma sœur.

— Pardon ?

— En ce moment, Callie n'a pas le droit de conduire, et je lui sers de chauffeur.

Scott esquissa une grimace :

— Franchement, je m'en serais passé. J'ai autre chose à faire, moi.

Carole resta silencieuse quelques instants, un peu gênée, avant de demander :

— Tu… tu veux laisser un message à ta sœur ?

— Non, merci. Je vais l'attendre. Je *dois* l'attendre, rectifia Scott d'un air moqueur. Obligation obligatoire ! Mon père va la déposer ici d'une minute à l'autre, et moi, je la raccompagnerai à la maison une fois qu'elle en aura fini avec Fez.

Carole se leva. De toute évidence, Scott s'attarderait, donc elle ne pourrait pas reprendre ses notes sur le pur-sang. Tant pis, elle compléterait le dossier plus tard. Dans l'immédiat, elle décida d'aller voir Fez.

— J'allais justement rendre visite à Fez. Tu veux venir avec moi ?

– Bonne idée. Je voudrais voir en quoi ce cheval est aussi extraordinaire qu'on le dit !

– Oh… Il n'est pas ordinaire, c'est sûr, lâcha Carole.

Scott la suivit dans les écuries, qu'ils traversèrent en empruntant l'allée centrale. Le box de Fez se trouvant tout au bout, Carole en profita au passage pour présenter à Scott plusieurs chevaux, dont le sien, Diablo, et Arizona, celui de Steph. Scott donna une petite caresse affectueuse à chaque animal. Il ne pratiquait peut-être pas l'équitation, mais il aimait – ou faisait-il semblant d'aimer ?… – les chevaux !

– Je me demande pourquoi Callie tient tellement à monter un pur-sang arabe, observa-t-il. Je croyais qu'un demi-sang, comme le tien, était le *nec plus ultra* ! Le meilleur, quoi.

Carole le regarda, surprise par cette réflexion digne d'un connaisseur.

– Tout dépend des objectifs qu'on a…

Moi, je voulais un cheval agréable à monter, plutôt facile, mais prêt à concourir, à relever des défis. Diablo est excellent en tant que cheval de selle, il se débrouille bien en saut d'obstacles et dans les compétitions classiques, les gymkhanas... Mais en endurance il reste loin, très loin derrière le pur-sang arabe.

— C'est-à-dire ?

Scott semblait intéressé.

— Eh bien, sur un champ de courses, un pur-sang arabe est comme un poisson dans l'eau ! expliqua Carole.

— Un cheval comme un poisson, commenta-t-il en riant. Belle image !

Carole sourit :

— Merci. C'est pour te dire qu'il est à l'aise, mais aussi très résistant, parce que sa race a été créée pour supporter la vie dans le désert. Il a le pied sûr, beaucoup de puissance, et il peut tenir le coup longtemps sans boire. Il possède une énergie incroyable et d'immenses réserves de force. C'est pour cette raison qu'il se distingue toujours dans les compétitions d'endurance, tu comprends ? Alors que le quarter horse, qui est aussi très résistant et rapide, ne peut courir à fond que sur de courtes distances.

Scott hocha la tête :

— Je vois. Le cheval arabe est doué en marathon, le quarter en sprint.

— Oui, c'est un peu ça.

— Tu t'y connais, dis donc !

— Oui. Les chevaux me passionnent, avoua Carole, agacée de se sentir rougir.

Pourvu qu'il ne l'ait pas remarqué ! Mais, si ce fut le cas, Scott n'en laissa rien paraître.

Ils parvenaient au box de Fez. Ben s'y trouvait encore, en train d'étriller le pur-sang, qui semblait plus calme. « Grâce à Ben », songea Carole. La robe de Fez, déjà brillante de propreté, n'avait guère besoin d'être lustrée ; cependant l'animal réclamait de l'attention : ces soins l'apaisaient, ce que

Ben savait. Sa présence était rassurante.

Carole fit les présentations. Ben resta distant, totalement indifférent au visiteur et concentré sur Fez. Il serra la main à Scott, puis se remit à panser le cheval. « Il pourrait être un peu plus poli, tout de même », pensa la jeune fille, embarrassée. Même si elle comprenait Ben – les chevaux passaient avant tout ! –, il fallait qu'ils se montrent accueillants. D'autant que Scott n'était pas n'importe qui.

Callie non plus. Et Fez n'était pas n'importe quel cheval…

Elle éprouva une nouvelle bouffée d'appréhension.

– Enfin, je découvre cette monture légendaire ! déclara Scott.

Ben l'ignora.

– Depuis tout à l'heure, Fez est assez agité, confia Carole. Il est certainement extraordinaire, mais nous, pour l'instant, on voit surtout un cheval hyper anxieux. Ben fait tout ce qu'il faut pour le tranquilliser ! À mon avis, il n'a pas l'habitude de voyager.

Comme Scott observait le cheval en souriant, Carole fut de nouveau impressionnée par la nonchalance du jeune homme. Du coup, elle se sentit étonnamment à l'aise avec lui, alors qu'en face de Ben elle se crispait ou cherchait ses mots.

— Peut-être qu'un pur-sang est tout le temps nerveux ? demanda-t-il.

Carole secoua la tête, catégorique :

— Chaque cheval a sa propre personnalité, quelle que soit sa race. Certains adorent bouger, voyager, et ils grimpent ou descendent du van sans problème. D'autres se braquent du début à la fin. Où qu'ils aillent, ils bataillent... Fez est un de ces batailleurs.

À ce moment-là, Fez dressa les oreilles. Un instant plus tard, une portière claqua au loin. Carole échangea un regard avec Ben. Fez avait entendu cette portière s'ouvrir alors qu'eux-mêmes, « simples humains », comme aurait dit Ben, n'avaient rien perçu.

La jeune fille se tourna vers Scott :

— Les chevaux ont l'ouïe extrêmement fine. Là, Fez nous a indiqué que quelqu'un arrive… Ta sœur, peut-être ?

— J'espère. Je vais voir ! Si c'est Callie, je reviens avec elle.

— On t'attend, dit Carole.

De nouveau, elle éprouva une crainte inexplicable. Et si Callie critiquait le Pin creux ? Compte tenu du fait qu'elle avait fréquenté de luxueux clubs hippiques en Californie, elle devait être très difficile. Le Pin creux ne serait peut-être pas à son goût… Ni à celui de Fez, d'ailleurs ! Car le pur-sang était également habitué à un traitement « quatre étoiles ». Dans son dossier, Carole avait lu le nom des prestigieuses écuries où il avait résidé.

« Qu'à cela ne tienne, décida-t-elle, le Pin creux se montrera à la hauteur ! » Elle y veillerait personnellement.

Chapitre 3

Callie ressemblait exactement à ce que Carole avait imaginé : grande, mince, avec une longue chevelure blonde et lisse, et un visage ravissant, qu'illuminaient de grands yeux bleus. Les mêmes yeux que ceux de Scott, constata Carole. Elle-même était brune, le teint mat, et elle devait toujours natter ses cheveux, trop épais et frisés. Parfois, en secret, elle rêvait de mèches dorées et de prunelles azur, comme celles de Callie...

— Voilà ma sœur, annonça Scott avec son éternel sourire.

— Salut, Carrie... Euh, Callie, se reprit Carole.

« Quelle idiote je fais ! » pensa-t-elle.

Callie la dévisagea d'un air froid :

— Tu es… ?

— Carole. Carole Hanson. Bienvenue au Pin creux, ajouta Carole en essayant de surmonter le malaise qu'elle éprouvait.

— Merci.

Puis Callie jeta un coup d'œil à son frère :

— Tu m'accordes un quart d'heure ?

— Je suis bien obligé, marmonna-t-il en haussant les épaules.

— Désolée de t'ennuyer, mais je dois impérativement voir Fez. Je me dépêche. Ensuite, tu pourras vaquer à tes occupations, conclut Callie avec une mauvaise humeur évidente.

— Merci, chère frangine. Je t'attends à la voiture. Salut, Carole ! Ravi de t'avoir rencontrée !

Il lança un clin d'œil à la jeune fille et s'esquiva.

— Attention, mon beau frangin est un vrai don Juan, prévint Callie en suivant son frère du regard. Mais il est gentil quand même.

— Il a l'air, répliqua Carole avec une pointe d'irritation.

Décidément, Callie Forester ne lui plaisait pas.

— Fez t'attend, ajouta-t-elle. Tu viens ?

Sans s'attarder, Carole se dirigea vers le box du pur-sang. Ben était toujours en train de le panser en lui parlant à l'oreille avec patience. Carole en fut touchée. Jamais Ben ne laissait un cheval en détresse. Il lui consacrait toute son énergie, tout son temps, avec une incroyable douceur.

— On a posé la plaque portant le nom de Fez, ajouta Carole à l'intention de Callie.

— Oh, parfait.

— Et Ben Marlow, notre chuchoteur, rassure Fez autant que possible.

— Parfait…

Callie passa la tête par-dessus la porte du box et examina les lieux, puis le cheval d'un œil critique.

— Bonjour, Ben, dit-elle. Je suis Callie.

Alors, Fez ? Finalement, tu as supporté le voyage ? Vous avez eu du mal à le faire descendre du van ?

Carole s'apprêtait à répondre quand elle se rendit compte que la question ne lui était pas destinée. Callie s'adressait à Ben, qui se contenta de lâcher un « oui » laconique. Carole envia sa capacité de se montrer aussi détaché.

D'un geste ferme, Callie tapota l'encolure de Fez. Réprimant un mouvement de recul, le cheval avança les naseaux vers elle, une expression amicale dans ses yeux bruns. En claquant la langue, la jeune fille lui gratta le chanfrein. Fez secoua la tête avec un contentement manifeste. C'était la première fois que Carole le voyait trahir une quelconque satisfaction.

— Vous avez un bon contact, tous les deux ? demanda-t-elle.

— Bien sûr, répondit Callie, comme s'il s'agissait d'une évidence.

— Chapeau !

— Pourquoi ? J'aime les chevaux, c'est tout !

« Moi aussi ! » faillit répliquer Carole avec indignation. Mais elle fut obligée de se taire. Callie était une cliente du Pin creux, qui payait cher, très cher, la pension de Fez. De plus, elle était une championne... et, cerise sur le gâteau, la fille d'un député. Carole devait faire profil bas.

— Je vois ça, dit-elle en plaquant un sourire artificiel sur son visage.

Callie hocha la tête :

— Quand on monte, c'est la moindre des choses, non ?

— Oh oui. Je suis cavalière depuis longtemps, et je...

— Qui fera faire de l'exercice à Fez ? l'interrompit Callie, se moquant éperdument de ce que Carole s'apprêtait à lui confier. En Californie, où j'habitais avant, Henry, mon entraîneur au club Greensprings, consacrait le lundi matin, le mercredi matin et le vendredi après-midi aux pensionnaires. Il n'y avait pas de reprise à ces heures-là, et Henry disposait librement de la carrière ou du manège. Comment ça se passe, ici ?

Surprise, Carole resta silencieuse quelques secondes. Au Pin creux, les propriétaires se chargeaient eux-mêmes de l'entretien physique de leur cheval. Personne n'avait « son » entraîneur particulier. Manifestement, Callie avait l'habitude d'être traitée comme une star...

— Ne t'inquiète pas, répondit-elle, au Pin creux, les chevaux sont comme des coqs en pâte. Fez sortira autant que nécessaire.

— À des horaires précis ?

— Ça va de soi, affirma Carole. Chaque cheval a ses propres besoins, et ici on en tient compte. Fez, qui est un champion, doit être monté régulièrement pour rester au top de sa forme.

— Au moins quatre fois par semaine, précisa Callie.

— Au moins quatre fois, répéta Carole, consciente de s'engager sur une pente savonneuse. Une heure à chaque sortie.

— C'est toi qui t'en occuperas ?

— Eh bien… moi, ou la personne qui sera disponible, ajouta Carole avec prudence.

— Excellente nouvelle ! s'exclama Callie, soudain radieuse. À Greensprings, je devais toujours consacrer au moins une heure par semaine à mon cheval — un autre, qu'on a dû vendre. Henry complétait ses exercices. Si ici, grâce à toi, Fez peut bénéficier de quatre heures d'exercice hebdomadaires, c'est fantastique. Quand je le monterai, je pourrai me concentrer sur ses aptitudes et son potentiel. Je n'aurai plus à me soucier de maintenir sa forme et tout le reste… Super nouvelle !

Carole ébaucha un sourire figé. Pourquoi avait-elle laissé croire à Callie qu'elle monterait Fez au moins une heure, quatre fois par semaine, alors qu'elle avait à peine le temps de monter Diablo ?

Surprenant le regard sombre que lui adressait Ben, elle espéra qu'il viendrait à sa rescousse. Mais il se détourna aussitôt. Inutile de compter sur lui.

— Fez a du caractère, reprit Callie.

— Je sais, dit Carole, la gorge nouée.

— Chaque fois que tu le monteras, il faudra veiller à ce qu'il se dépense suffisamment.

— Je sais.

— Quand je m'occupe personnellement des exercices de mon cheval, je prépare un véritable programme, pour faire travailler différentes capacités, différentes parties du corps et différents muscles, poursuivit Callie d'un ton autoritaire. Le but est d'inciter l'animal à exploiter au maximum ses aptitudes physiques et psychologiques. En compétition, l'endurance englobe tous ces paramètres…

Après une pause, elle ajouta, fronçant un sourcil :

— Fez doit se défouler, mais pas trop... Il ne faut pas le surmener ! Il ne faut pas tomber dans l'excès, et le fatiguer. Ce qu'il faut, c'est le rendre plus fort.

Il faut, il faut, il ne faut pas, il ne faut pas...

Carole se contenta de sourire poliment, ravalant un : « Tu me prends pour ta domestique, peut-être ? »

— Un cheval qui a fourni trop d'efforts en dehors des moments d'entraînement spécifique est épuisé le jour du concours, reprit Callie.

— Je sais.

— D'où l'intérêt d'un programme.

— Bien sûr, murmura Carole.

Dans quel pétrin venait-elle de se fourrer ? Fez était nerveux, farouche et imprévisible ; sa maîtresse se prenait pour une impératrice, et elle-même était en train d'accepter la très lourde et délicate mission consistant à satisfaire l'un *et* l'autre.

Vite, elle devait rectifier le tir et expliquer qu'il s'agissait d'un malentendu ! Mais Callie ne lui en laissa pas l'occasion.

– Bon, je dois retrouver Scott, déclara-t-elle. Il m'attend. Allez, salut !

Et, sans même dire merci, elle adressa un petit signe de la main à Carole et à Ben, puis quitta les écuries d'un pas rapide.

Pendant un long moment, Ben et Carole restèrent silencieux. Même Fez semblait s'être pétrifié.

– Eh bien… j'ai l'impression que tu seras très occupée, cet été, observa enfin Ben.

Carole se garda de tout commentaire. L'esprit en ébullition, elle luttait contre un mélange de colère, d'indignation et de découragement. Personne, au Pin creux, ne lui avait demandé de s'occuper personnellement du cheval de Callie Forester, personne ! Or, tant qu'elle n'aurait pas clarifié la situation avec Callie, elle serait contrainte d'assumer sa stupide proposition. Ce qui signifiait qu'elle devrait passer de longs moments avec Fez, seule, bénévolement. Et l'après-midi, puisque le matin elle travaillait au bureau du centre.

Puis, peu à peu, une conséquence plus grave s'imposa à elle.

Diablo.

Depuis qu'elle avait été embauchée au Pin creux, elle ne pouvait monter son propre cheval que l'après-midi. Quand allait-elle le sortir si elle consacrait son temps libre à Fez ?

Non, non, non... Il était hors de question qu'elle délaisse Diablo pour les beaux yeux de Callie Forester !

*

De retour au bureau, Carole essaya de s'éclaircir les idées. Elle avait été ridiculement impressionnée par Callie ; tout comme elle l'avait été, mais de façon agréable, par Scott.

Plus elle y songeait, plus elle se répétait qu'elle serait obligée de se dédire au plus vite. Elle expliquerait à Callie qu'il s'agissait d'un regrettable malentendu...

La sonnerie du téléphone interrompit ses réflexions. Elle décrocha aussitôt.

— Le Pin creux, bonjour !

— Carole ? Je suis embauchée ! Youpiiiiiii !

C'était Steph, plus surexcitée que jamais. Chassant momentanément ses soucis, Carole se mit à rire :

— Mille bravos ! Tu pourras payer ta part d'assurance !

— Oui... Et j'espère aussi avoir un peu d'argent pour moi. En principe, quand on livre une pizza, on reçoit un généreux pourboire !

— Si les gens sont sympas, et si tu l'es aussi...

— Je serai sympa et aimable, aimablissime, jusqu'au bout des ongles ! Pas le choix !

– Tu commences quand?

– Cet après-midi, à dix-sept heures pétantes. Le seul ennui, Carole, c'est...

Steph éclata de rire et ajouta:

– M. Andrews, le patron, veut que je porte un uniforme! Moi, Stéphanie Lake, en uniforme. Tu imagines?

Elle eut un nouvel éclat de rire.

– Quel genre d'uniforme?

– Un T-shirt de la maison et une espèce de chapeau façon Robin des Bois, une coiffe, quoi... Avec une plume et «Pizzeria Bel Canto» inscrit en travers.

– Une plume?

– Une plume. Style moyen âge, tu vois?

Cette fois, ce fut au tour de Carole d'être saisie d'un fou rire:

– Tu seras irrésistible, et du coup tu recevras plein de pourboires!

– C'est le but!

Redevenant sérieuse, Steph confia:

– En fait, Carole, il y a un autre problème.

— Lequel ?

— La voiture. Je serai obligée de beaucoup conduire, y compris la nuit. Franchement, je me sens plus à l'aise sur un cheval que cramponnée à un volant… Enfin, « cramponnée », c'est une façon de parler. Bref, tu comprends ce que je veux dire.

— Oui, je crois… Mais tu seras prudente ?

— Très. Promis.

Plus tard, lorsque Carole repensa à cette conversation, elle se souvint que, là encore, elle avait eu une étrange prémonition.

Chapitre 4

— Je crois qu'elle n'aime pas trop conduire, même si elle donne l'impression d'être sûre d'elle, dit Carole. Tu la connais, pas vrai ?

L'après-midi s'était écoulée rapidement. Laissant Fez entre les mains de Ben, la jeune fille avait monté Diablo pendant une bonne heure, puis elle était rentrée chez elle. Arrivée avant son père, elle préparait le dîner. Le combiné coincé entre la mâchoire et l'épaule, elle allait et venait dans la cuisine, mettant le couvert et sortant les divers ingrédients pour concocter des spaghettis à la carbonara. C'est elle qui avait téléphoné à Lisa, pour lui apprendre les dernières nouvelles concernant Steph.

À l'autre bout de la ligne, Lisa eut un bref éclat de rire :

— Oh oui ! Et elle ne changera pas. Steph est une fonceuse. En tout cas, je suis contente qu'elle ait obtenu ce job. Finalement, cet été, Steph et Alex travailleront tous les deux !

— Ils ont du courage.

— Dis plutôt qu'ils veulent gagner de l'argent ! Pour payer l'assurance de leur voiture, l'essence… et tout le reste. Alex a l'intention de tondre au moins cinq pelouses par jour !

— Waouh ! Quand tu reviendras de Californie, tu retrouveras un Alex tout bronzé et tout musclé.

— Encore plus craquant !

Après un silence, Lisa reprit :

— Tu sais, Carole, j'aurais préféré ne pas

devoir partir à l'autre bout du pays pour voir papa… Ma mère est furieuse. Jalouse. Énervée. La totale, quoi.

— N'y pense pas trop…

— J'essaie. C'est dingue, je me sens presque coupable d'être contente de rendre visite à mon père ! avoua Lisa. À cause de maman, qui râle tout le temps, qui se plaint de sa solitude et tout… Du coup, j'ai même encore plus hâte d'être chez papa !

— Parce qu'il est de bonne humeur, lui !

— Oui. Et Evelyn aussi. Et puis, il y aura Lily, ma petite sœur…

— Le bonheur, en somme !

Carole se souvenait des moments d'angoisse que Lisa avait vécus avant le divorce de ses parents. Chez elle, l'ambiance était insupportable à cause des tensions, des disputes… Maintenant, c'était tout aussi insupportable : Mme Atwood, qui n'avait pas accepté que son ex-mari ait refait sa vie, ne se lassait pas de dire à sa fille à quel point elle était malheureuse... Et Lisa souffrait beaucoup de cette situation.

— Ça te fera du bien, d'aller là-bas, reprit-elle. Tu oublieras les problèmes de ta mère. En plus, tu aideras Skye à réussir son tournage en t'occupant des chevaux du ranch...

— Un vrai ranch, j'espère, enchaîna gaiement Lisa. J'en saurai plus bientôt. Oh, Carole, ce sera une expérience géniale ! J'ai de la chance ! Dommage qu'Alex le prenne aussi mal.

— Il a peur que tu tombes amoureuse de Skye. Dans un sens, c'est normal... Skye est beau, célèbre, riche...

— Sauf que, moi, j'aime Alex, répliqua Lisa. Ah là là, que c'est compliqué, l'amour...

Carole sourit, songeuse. Contrairement à Steph et à Lisa, elle-même n'était encore jamais tombée amoureuse. Steph sortait avec Phil Marsten depuis longtemps — ils formaient même un « vieux » couple, affirmait Steph en riant. Ce qui n'était pas tout à fait faux… Leurs sentiments ne s'étaient pas émoussés au fil des années. Quant à Lisa, elle sortait avec Alex, le frère jumeau de Steph, depuis six mois. Entre eux, l'amour avec un grand «A» semblait au rendez-vous ! Parfois, Carole se sentait un peu seule. Malheureusement, aucun garçon ne l'intéressait ! Dans sa vie, elle ne connaissait qu'une seule et unique passion : les chevaux…

Elle poursuivit sa conversation avec Lisa. Après avoir raccroché, elle téléphona à Steph et tomba sur Alex, qui lui rappela que Steph était en train de livrer des pizzas, quelque part dans les beaux quartiers de Willow Creek. Mais oui, bien sûr… Comment avait-elle pu l'oublier ?

*

Le lendemain après-midi, Carole décida d'affronter Fez. Elle n'avait pas revu Callie, et, en attendant de pouvoir dissiper le malentendu qui la minait, elle n'avait pas le choix : il fallait qu'elle s'occupe du cheval.

Un peu nerveuse, la jeune fille gagna le box du cheval.

— Salut, champion ! Ça va ? La vie est belle ? Hum, peut-être pas trop, pour toi, depuis que tu es ici. Mais je vais te gâter, moi…

Fidèle à son habitude, Carole parlait comme si l'animal était capable de comprendre chaque mot. Par miracle, Fez se laissa brider sans broncher. Il resta même figé comme une statue ; crispé, certes, mais docile. Lorsqu'il fut prêt, elle le prit par les rênes et le fit sortir de la stalle. D'un pas tranquille, il la suivit dans l'allée qui longeait les boxes, regardant autour de lui avec curiosité, examinant les lieux et les autres chevaux. Comme il découvrait son nouveau domaine, la jeune fille ne le pressa pas. Fez avait besoin de s'habituer à son environnement.

Une fois dehors, elle le monta. Elle le sentit se raidir légèrement ; mais, là encore, il ne manifesta aucune opposition franche. Tant mieux. Jusque-là, tout allait bien... Elle s'approcha de l'entrée de l'écurie pour effleurer un vieux fer à cheval fixé sur le mur – le porte-bonheur du Pin creux. Depuis que M. Regnery, le grand-père de Max, avait fondé le centre équestre, la tradition demeurait, aussi immuable que rassurante : avant toute sortie, reprise ou entraînement, cavaliers et cavalières, jeunes et moins jeunes, devaient effleurer le fameux fer à cheval. Superstition ridicule ? En tout cas, chacun jouait le jeu, et jusqu'à présent aucun accident grave ne s'était produit au Pin creux...

Gamines, Carole, Lisa et Steph croyaient aveuglément aux pouvoirs magiques du fer à cheval... comme les enfants fréquentant le club maintenant, d'ailleurs. Aujourd'hui, elles interprétaient autrement les vertus de ce porte-bonheur : toucher ce fer à cheval rappelait aux cavaliers que l'équitation peut, parfois, être dangereuse. Nul n'est à l'abri d'une mauvaise chute ou d'une réaction imprévisible de sa monture. La plupart des accidents sont provoqués par un manque d'attention. Carole et ses amies savaient très bien qu'un cavalier vigilant, et informé, courait beaucoup moins de risques. Finalement, le fer à cheval porte-bonheur devenait un outil de prévention très efficace !

Comme par hasard, Fez se braqua au moment où Carole s'apprêtait à effleurer le fer à cheval.

— Ho ! Fez, du calme ! lança-t-elle aussi calmement et fermement que possible.

Mais son cœur cognait à grands coups désordonnés. Pour la première fois de sa vie, elle avait peur d'un cheval !

Fez l'effrayait. Et il le sentait, sans doute.

La gorge sèche, Carole toucha le porte-bonheur du bout des doigts.

— Voilà. On y va…

En s'ébrouant, Fez obéit à contrecœur. Maintenant, il renâclait. Était-ce à cause de la chaleur, lourde, qui leur collait à la peau ? Carole sentit la sueur perler à son front.

Inspirant à fond, elle dirigea le pur-sang vers la carrière réservée aux entraînements. Libre à cette heure, naturellement : elle aurait dû l'occuper avec Diablo. La carrière avait été retenue pour son propre cheval. Avec un pincement au cœur, elle pensa que Diablo devrait attendre jusqu'au lendemain pour sortir. Il apprécierait autant qu'elle la promenade avec Steph et Lisa !

– Bon, tu es prêt à me montrer ce que tu sais faire ?

En prononçant ces mots, elle tapota le flanc de Fez. Il frémit, comme pour lui dire quelque chose. Mais quoi ? Bizarrement, elle avait du mal à deviner ce qu'il ressentait. En général, elle parvenait à se forger une idée de ce qui se passait – peut-être ! – dans l'esprit de sa monture. Là, elle avait l'impression d'avancer dans le brouillard…

— Allez, au pas.

Lentement, très lentement, Fez fit le tour de l'arène une première fois, puis une deuxième. Au bout du troisième tour, il s'arrêta. « Il doit en avoir assez, se dit Carole. Il veut sûrement changer d'allure. »

— Au trot ! lança-t-elle.

Mais Fez resta immobile.

— Fez, au trot !

Aucune réaction.

Agacée, Carole le talonna d'un mouvement plus vif, et, enfin, Fez daigna bouger. Sauf qu'au lieu de prendre le trot il repartit au pas. Mais d'un pas si mou que la jeune fille laissa échapper un soupir exaspéré. En même temps, elle tenta de se raisonner : il devait être sensible à son propre manque d'enthousiasme. Non, elle n'aimait pas monter Fez, et, non, il n'aimait pas qu'elle le monte…

Se penchant en avant, elle le caressa entre les oreilles.

— OK, tu sais, et je sais… Si on faisait un effort, toi et moi ? Ce serait plus drôle, non ?

Le cheval hocha la tête, comme pour lui répondre. Cependant, encore une fois, Carole ne sut déchiffrer ce qu'il exprimait.

À ses yeux, le pur-sang était un mystère. Du coup, elle ne parvenait pas à avoir confiance en lui, et ça, c'était grave.

— J'ai dit à Callie que je m'occuperais de toi… Et je voudrais que tu sois content, tu comprends ? Je…

Subitement, Fez rua. Le cœur battant, Carole parvint à le maîtriser de justesse.

— Pigé… En fait, je t'embête, hein ?

— Salut ! s'exclama une voix claire à l'autre bout du manège.

Carole n'eut pas besoin de se retourner pour savoir qui c'était.

— Salut, Steph !

Elle fit pivoter le pur-sang et rejoignit son amie. Elle descendit de cheval, intimement convaincue que Fez était aussi soulagé qu'elle de voir que cette séance d'exercices était terminée.

Steph l'observait, une lueur rieuse au fond des yeux :

— Hum… tu as l'air d'être d'une humeur de chien !

— Je le suis. Entre cette bête et moi, ça ne colle pas.

— Cette *bête* ?

Steph écarquilla les yeux :

— Je crois bien que c'est la première fois que je t'entends parler d'un cheval de cette manière !

— Une manière qui… Oh, et puis, désolée, mais c'est comme ça, marmonna Carole en haussant les épaules.

Elle jeta un regard noir en direction de Fez, qui l'ignorait superbement. N'empêche, il était magnifique. Elle l'admirait malgré son ressentiment. Puissant, racé, et caractériel.

« Comme sa maîtresse, peut-être ? » pensa-t-elle.

— À qui est-il ?

— À Callie Forester, fille du député Forester, et...

— Oh, mais je la connais ! l'interrompit Steph. Elle habite à côté de chez moi. La grande maison aux colonnades blanches, tu vois ? Je suis allée livrer une pizza chez eux hier soir ! Elle a un frère, blond aux yeux bleus, super mignon.

— Scott. Il s'appelle Scott.

— Eh bien, Scott parle comme un futur député, et il est généreux comme un futur président ! ajouta Steph en riant. Il m'a donné un pourboire royal.

Carole sourit. La bonne humeur de Steph dissipait un peu le goût amer que lui laissait l'échec de sa première sortie avec Fez. Elle jeta un coup d'œil vers le cheval, qui continuait à regarder au loin, mine de rien. Elle aurait parié qu'il comprenait tout ce qu'elles racontaient...

— Moi, j'ai un problème avec Callie,

avoua-t-elle alors. Je lui ai stupidement promis de sortir ce splendide pur-sang tous les après-midi, pendant une heure.

— Tu rigoles ?

— Pas vraiment.

— Tu crois que Max te paiera ?

— Même pas en rêve ! Ne dis rien, je sais, c'est ma faute.

— Mais comment... Enfin, pourquoi...

— Pourquoi ? la coupa Carole. Parce que je me suis laissé impressionner comme une idiote. Parce qu'elle m'a parlé comme si j'étais sa domestique. Parce que... Oh, et puis, après tout, quelle importance ?

Steph la contempla d'un air soucieux :

— Quelle importance ? Il va falloir te tirer de ce pétrin, Carole. Tu ne passeras pas tout l'été à t'occuper de... Au fait, comment s'appelle ce gredin ? demanda-t-elle en reportant son attention sur le cheval.

— Ce gredin ? Tiens, ça lui va bien. Le nom de ce gredin est Fez.

– Bon. Fez. Salut, Fez, poursuivit Steph. Carole, tu ne comptes quand même pas passer tout l'été à chouchouter ce cheval alors que Diablo t'attend ?

Carole se mordilla la lèvre inférieure. Avec sa franchise habituelle, Steph venait de formuler avec précision son dilemme.

– Non. Tu as raison, non…

Chapitre 5

En arrivant au Pin creux vendredi matin, Carole se sentait fourbue comme après des heures et des heures de monte. Sauf que ses courbatures étaient provoquées par tout autre chose : elle avait passé une nuit blanche. Elle n'avait cessé de se tourner et retourner dans son lit, en proie à des pensées confuses. Tout ça à cause de Callie Forester et de son cheval !

Un cheval qui, au fond, ressemblait beaucoup à sa maîtresse. Comme elle, il était arrogant, intimidant. Peu fiable, surtout. La veille, alors qu'elle le pansait avec toute l'adresse et la délicatesse dont elle était capable, Carole l'avait senti aussi récalcitrant qu'une mauvaise mule. Il avait même essayé de lui pincer le poignet à deux reprises !

Elle accéléra le pas : ce matin, elle oublierait ses soucis avec Fez et Callie. Ce matin, elle était en vacances !

Dans moins d'une heure, elle partirait en balade avec Lisa et Steph. Comme d'habitude, Lisa monterait Prancer, une jument du Pin creux qui, au fil des années, était devenue la monture préférée de la jeune fille. Prancer et Lisa se connaissaient aussi bien que Carole et Diablo, ou Steph et Arizona, sa jument baie. Ensemble, elles et leurs chevaux avaient cheminé sur tellement de sentiers à travers les collines avoisinantes, passé tant de bons moments…

Aujourd'hui, ce serait un peu différent, puisque c'était leur dernière promenade avant le départ de Lisa pour la Californie. Un départ qui les rendait tristes toutes les trois. Ce serait long… Elles étaient rarement restées séparées aussi longtemps. Peut-être même jamais !

Elle s'installa au bureau.

— Carole ? Quel poney je monte ? demanda une fillette en s'engouffrant dans la pièce.

— Je ne sais pas, Lydia. Consulte la liste que j'ai affichée dans la sellerie. Et tu veux bien prévenir que personne ne montera Patch ? Il a une cheville enflée. Merci !

Comme Lydia restait plantée sur le seuil, hésitante, Carole ajouta :

— File ! La reprise commence dans un quart d'heure.

Le téléphone sonna. Carole décrocha, se présenta et écouta attentivement son interlocuteur.

— Non, monsieur Burns. Je suis sûre qu'on vous a commandé de l'avoine en flocons, pas en granulés. Il nous reste des granulés, donc. Et je vous ai remis une photocopie du bon de commande hier. Oui, d'accord, je vous le faxe, mais vous savez,

monsieur Burns... Très bien. Rappelez-moi.
Au revoir.

Alors qu'elle raccrochait, Steph fit irruption dans le bureau.

— Salut !

— Salut.

Steph fronça les sourcils :

— Tu es encore de mauvaise humeur ?

— Comment ça, « encore » ? Je travaille, je te signale, et on a des problèmes, marmonna Carole en fouillant dans un dossier.

— Moi aussi, j'en ai.

Surprise, Carole leva les yeux vers son amie :

— C'est grave ?

— Juste ennuyeux. En fait, j'ai deux nouvelles : une mauvaise, et une qui ne te fera peut-être pas très plaisir, mais bon ! Je commence par laquelle ?

— Celle que tu veux, répondit distraitement Carole en pensant au bon de commande qu'elle devait retrouver.

— La mauvaise, alors, dit Steph. Je ne te l'ai pas dit avant, parce que j'ai un peu honte, voilà, l'autre soir, après avoir livré une pizza à la famille Forester, j'ai dû faire une marche arrière et j'ai écrasé un petit bout de plate-bande. Je crois bien que j'ai aussi heurté la Jeep de M. Forester...

— Non ?

— Si. Enfin, il n'y a qu'une petite, une minuscule égratignure sur son pare-chocs. Par contre, l'un de mes feux arrière est cassé.

— Aïe ! Et tu l'as dit à tes parents ?

Le téléphone sonna de nouveau. Carole décrocha :

— Allô ? Ah, c'est encore vous, monsieur Burns.... Non, là, vous me parlez du bon de commande du mois dernier !

Elle recouvrit l'écouteur de la paume de sa main et chuchota à Steph :

— J'en ai pour cinq minutes ! Tu pourrais me seller Diablo ? Je vous retrouve aux écuries dès que j'ai fini.

Steph hocha la tête, esquissa un signe comme pour indiquer qu'elle avait autre chose à dire. D'un geste, Carole lui fit comprendre qu'elle devait la laisser travailler.

*

À dix heures, le soleil était déjà chaud. L'air sentait les fleurs, l'herbe fraîche, les chevaux. Le feuillage semblait doré, illuminé par la lumière de l'été. Carole adorait cette atmosphère et, en marchant vers les écuries, elle sifflotait gaiement.

Mais, dès qu'elle aperçut le petit groupe qui l'attendait devant le bâtiment, son enthousiasme s'évanouit. Il y avait Lisa, Steph... et Callie. Seuls Prancer et Fez étaient sortis. Deux pur-sang aux caractères aussi semblables que le jour et la nuit. Prancer, elle, était douce et docile.

— Coucou, Carole ! Diablo est prêt, lança Lisa d'un ton joyeux.

– Il t'attend dans son box, renchérit Steph. Comme ma chère Arizona !

– Allez chercher vos chevaux, proposa Callie. Lisa et moi sommes prêtes.

Carole fronça les sourcils, agacée. *Lisa et moi...* Voilà qu'elle parlait comme si elle était leur amie ! Et, d'abord, que fabriquait-elle avec Steph et Lisa ?

– Au fait, j'ai invité Callie à se joindre à nous, annonça Steph. Je voulais te le dire tout à l'heure, mais tu étais trop occupée !

– Ah ? Trop occupée ? répéta machinalement Carole.

La mine espiègle, Steph s'avança vers Carole et lui fit signe de s'approcher.

– C'est à cause d'hier soir, lui chuchotat-t-elle à l'oreille. La voiture de ses parents, tu sais ? Je dois me faire pardonner !

– Ah...

Carole dissimula à grand-peine sa déception. À cet instant précis, passer deux heures en compagnie de Callie Forester lui paraissait au-dessus de ses forces. Si au moins Callie lui avait dit bonjour…

Sans réfléchir, elle prit une profonde inspiration :

— Écoutez, les filles, je suis désolée, j'ai un contretemps de dernière minute. Mon travail, vous comprenez… Finalement, je ne peux pas venir avec vous, ajouta-t-elle d'un ton brusque.

— Tu plaisantes ? s'exclama Steph, stupéfaite.

— Non. J'ai un dossier difficile à remplir, prétexta Carole.

— Émilie ne devait pas te remplacer ?

— Ce dossier-là, elle ne le connaît pas. Ça m'embête, vraiment, mais la balade, ce sera sans moi.

— Oh, non ! On était si contentes de partir toutes les trois ! se désola Lisa.

« Oui, toutes les trois, pensa Carole. Pas toutes les quatre. »

Se forçant à sourire, elle reprit :

— Profitez-en bien ! Il fait si beau…

— Diablo sera déçu, souligna Steph en l'observant fixement, comme pour mieux percer ses motivations.

— Je sais. Je le suis aussi, murmura Carole. Promis, on se rattrapera.

*

Cette matinée-là s'écoula très vite, si bien que Carole n'eut pas le temps de penser aux bons moments qu'elle ratait. Cette balade à cheval, elle l'avait tellement attendue…

Elle courut de la carrière au bureau, puis du bureau aux écuries, travaillant d'arrache-pied, proposant même de seller des chevaux pour aider Ben. Il y avait du monde au Pin creux ce matin-là, encore plus de cavaliers que d'habitude. Craignant la chaleur de l'après-midi, tous voulaient monter le matin.

De plus, Émilie n'avait pas compris que Carole n'ait plus besoin qu'elle la remplace.

Redoutant qu'elle ne se soit vexée, elle décida de lui parler. Elle trouva la jeune fille dans le box de PC.

— Coucou ! Tu veux que je t'aide à panser ton beau prince ? proposa-t-elle.

PC, l'œil brillant, semblait ravi des soins que lui prodiguait sa maîtresse, qui était en train de peigner sa crinière avec délicatesse.

— Merci, Carole, tu es sympa. Mais comme j'ai tout mon temps… Figure-toi qu'en été PC adore les bains de boue ! Il s'est vautré dans le petit pré, tout à l'heure. Alors, maintenant, je lui offre une remise en beauté de la tête aux pieds !

Carole sourit, admirative. Émilie œuvrait en s'appuyant sur une béquille. Quoi qu'elle fasse, elle devait toujours fournir beaucoup plus d'efforts que n'importe qui d'autre ; pourtant elle obtenait des résultats aussi bons, voire meilleurs.

— Tu veux bien me passer le chiffon, s'il te plaît ? demanda-t-elle.

Carole entra dans le box, prit le carré de tissu et le lui tendit. Émilie lustra délicatement la robe de PC.

— Waouh! Ton cheval brille tellement que je suis éblouie! plaisanta Carole.

Émilie lui jeta un coup d'œil amusé:

— Dis donc, tu me flattes pour que je panse Diablo à ta place?

— Tu rigoles? Je l'ai déjà bichonné, tiens! En fait, je voulais te remercier encore une fois d'avoir accepté de prendre ma place, ce matin, poursuivit Carole. J'ai une entière confiance en toi…

Elle s'interrompit, un peu gênée. Émilie ébaucha un sourire:

— Pourquoi n'es-tu pas partie avec Steph et Lisa?

Carole soupira:

— C'est une longue histoire que je préfère garder pour moi.

— Comme tu veux! Mais je suis là, ne l'oublie pas.

— Je sais, Émilie. Merci…

Carole alla prendre une provision de carottes et en distribua une à chaque cheval. Elle aimait les gâter. Après quoi, jetant un coup d'œil sur sa montre, elle sortit de l'écurie et se dirigea vers les prés bordant le centre. Steph et Lisa ne devraient plus tarder à rentrer… Elle s'installa sur une barrière et, rêveuse, contempla l'horizon. Alors, comme souvent lorsqu'elle regardait la nature et les chevaux, elle oublia tout.

Un quart d'heure plus tard, les silhouettes de trois cavalières se découpèrent au loin. Steph, Lisa et Callie revenaient au trot, Callie au milieu. Carole remarqua à quel point la jeune fille montait bien. Elle maîtrisait son pur-sang à la perfection. Nettement mieux qu'elle-même, s'avoua-t-elle à contrecœur. Fez et Callie s'accordaient à merveille, voilà tout.

Parvenant à une centaine de mètres de l'enceinte du Pin creux, les cavalières remarquèrent Carole. Ce fut Lisa qui lui fit signe la première.

Chapitre 6

Ce vendredi-là, le déjeuner fut remplacé par un savoureux moment gourmand. Carole retrouva sa bonne humeur. Sitôt leurs chevaux pansés, Lisa et Steph lui avaient proposé d'aller chez Sweetie, leur glacier préféré. Carole avait accepté de bon cœur. Cette réunion entre elles – sans Callie ! – compenserait un peu la balade à cheval qu'elle avait manquée…

Pour les trois amies, déguster une glace chez Sweetie était une vieille tradition. Eté comme hiver, elles adoraient se donner rendez-vous dans ce sympathique salon de thé de Willow Creek. Elles s'installaient toujours au même endroit : elles juraient que glaces et gâteaux ne seraient pas aussi bons si elles s'asseyaient à une autre table.

— Eh bien, moi, je voudrais une coupe fraise melba, avec du sirop d'orgeat et du chocolat. Le chocolat, c'est pour la rime, ajouta Steph, pince-sans-rire.

En pouffant, Lisa et Carole regardèrent Mme Lolly qui prenait leur commande. Cette dernière travaillait chez Sweetie depuis longtemps et avait vu les trois jeunes filles grandir.

— Tu ne changeras jamais, ma petite Steph! observa-t-elle en riant. Alors? Avec ou sans chocolat?

— Avec. Deux petits carrés à croquer, s'il vous plaît, dit Steph, les yeux brillants.

— Je note. Et vous, qu'est-ce qui vous ferait plaisir? demanda la serveuse à Lisa et Carole.

Carole étudia longuement la carte, qu'elle connaissait pourtant par cœur. Difficile de choisir entre tous ces délices!

— Je voudrais un citron givré.

— Et moi, une poire Belle-Hélène, dit Lisa.

— Et trois grands verres d'eau, avec une tonne de glaçons, fit Steph. Merci !

— Et une tonne de mercis à vous, madame Lolly ! renchérit Lisa.

— Quand même, c'est super, de se retrouver toutes les trois, remarqua joyeusement Carole tandis que Mme Lolly s'éloignait.

Ce « toutes les trois » lui avait échappé. Steph et Lisa comprirent aussitôt ce qu'elle sous-entendait.

— Sans Callie, tu veux dire ? lança Steph.

Elle échangea un coup d'œil avec Lisa et ajouta, l'air un peu désolée :

— Tu ne l'aimes pas beaucoup, pas vrai ?

Carole garda le silence.

Un silence éloquent.

— Elle n'est pas méchante, tu sais, reprit Steph. Pendant la balade, elle nous a parlé de sa famille et des problèmes provoqués par la célébrité de son père. Un député comme lui est pourchassé par les paparazzi, du coup, elle aussi…

– La pauvre ! commenta Carole d'un ton moqueur. Épargne-moi le couplet : « Mais oui, les gens riches et célèbres sont aussi très malheureux ! »

– Pour parler d'autre chose, intervint sagement Lisa, j'ai vu que Fez n'est pas facile du tout…. Pendant la promenade, il a été très nerveux. J'ai l'impression que Prancer l'a calmé, comme une bonne mère.

Carole hocha la tête :

– Va savoir… Entre chevaux, ils discutent à leur manière. Ils s'envoient des ondes. Peut-être que Prancer, qui est aussi un pursang, a dit à Fez de se tenir tranquille.

– C'est bien possible, commenta Steph. Entre le début et la fin de la promenade, Fez a radicalement changé de comportement. Il piaffait d'impatience quand on est parties, et

Callie a dû être très ferme pour le contenir. Mais, au fur et à mesure, il est devenu plus docile, plus détendu.

— Parce que Callie sait le monter, observa Lisa d'un ton admiratif.

Carole ressentit un léger pincement au cœur. Fez était le premier cheval avec lequel elle ne parvenait ni à communiquer ni à établir une relation de confiance. Ça la chagrinait.

— C'est sûr… Callie et Fez sont faits l'un pour l'autre, admit-elle. Moi, je ne sais pas comment le prendre.

Steph et Lisa la fixèrent avec la même surprise. Elles connaissaient le talent, le *feeling* dont Carole avait toujours fait preuve vis-à-vis des chevaux. Max Regnery et d'autres professionnels du monde hippique la jugeaient même exceptionnellement douée.

— Tu es sérieuse ? s'enquit Lisa.

Carole haussa les épaules.

— Oui. Entre Fez et moi, ça ne colle pas.

Et je suis censée le sortir, pour ses exercices, tous les jours ! soupira-t-elle.

— Tu n'as toujours pas parlé à Callie ? s'étonna Steph.

— Non. Je n'en ai pas eu l'occasion.

— Si tu étais venue en promenade avec nous…, commença Lisa.

— Mais je ne suis pas venue, la coupa Carole sèchement.

Puis, voyant la stupeur se peindre sur le visage de ses amies, elle se radoucit :

— C'est dommage, je sais. Une autre fois ! En tout cas, j'espère discuter avec Callie le plus vite possible. Il faut juste que je trouve les mots. J'ai été trop bête de lui proposer ce service !

À ce moment-là, la serveuse apporta un plateau chargé de glaces et de boissons fraîches. Heureusement, car Carole aurait peut-être laissé échapper des paroles regrettables concernant Callie.

— Bon, à nos vacances ! lança Steph en

levant son verre. Et surtout à celles de Lisa !

Les trois amies trinquèrent.

— Tu as intérêt à nous écrire au moins dix fois par jour, pour nous raconter comment ça se passe avec Skye et son tournage, ajouta Steph.

— Pas de problème ! s'esclaffa Lisa. Pendant que je m'occuperai des chevaux, je garderai un ordinateur et un modem reliés en permanence pour vous envoyer des e-mails !

— Ah, si c'était possible, Alex serait aux anges, déclara Steph en riant. Il est malheureux comme les pierres à cause de ton départ. Et, comme il est mon cher frère, je le constate tous les jours, matin et soir.

Lisa hocha la tête en esquissant une grimace dépitée :

— Je sais, Steph. Moi aussi, je suis triste de le quitter. Et de vous laisser, vous ! J'aime Alex, et vous, vous êtes mes meilleures amies. Mais je n'ai pas le choix. Papa m'attend, et…

— Allez, on comprend, Lisa, affirma

Carole. Tes parents ont divorcé, ton père a refait sa vie, tu as une petite sœur – et ça, entre parenthèses, c'est plutôt sympa, non ?

– Oui, très sympa, répondit Lisa en souriant. J'ai hâte de revoir la petite Lily et Evelyn.

– Elle est toujours aussi gentille, ta belle-mère ? demanda Steph.

– Adorable. Franchement, je suis si heureuse que papa ait enfin trouvé le bonheur. Si maman n'était pas jalouse, tout irait bien ! conclut tristement Lisa.

– Il faudrait qu'elle rencontre quelqu'un d'autre. Ça finira par s'arranger, la rassura Carole. Après tout, il n'y a aucune raison qu'elle ne refasse pas sa vie, elle aussi !

En prononçant ces paroles, elle songea à son propre père. Il était veuf depuis longtemps déjà. Se remarierait-il un jour ? Elle se posait souvent cette question, essayant d'imaginer la situation : une autre femme à la maison, qui serait sa belle-mère. L'accepterait-elle ? À ce jour, elle n'aurait su le dire.

— Au fait, les filles, cet après-midi je peux monter Diablo ! s'exclama-t-elle, chassant ces pensées de son esprit. Je suis libre, puisque Callie a sorti Fez !

— Libre comme le vent, renchérit Steph avec bonne humeur. Contrairement à moi !

Elle consulta sa montre.

— Dans trois heures, je dois être à la pizzeria Bel Canto, vêtue de mon uniforme ridicule. L'avantage, au moins, c'est que je fais rire les clients ! Du coup, j'ai droit à de généreux pourboires. Sauf qu'une partie de l'argent que je gagne servira à remplacer le feu arrière que j'ai cassé, précisa-t-elle avec une petite moue.

Lisa écarquilla les yeux :

— Quoi ? Tu as eu un accident ? Tu ne m'as rien dit !

— Oh, c'était juste un minuscule accrochage ! Mais mes parents n'ont pas été contents du tout. Normal ! Et je dois payer.

Heureusement, j'ai toujours le droit de conduire la voiture !

Tout en dégustant leurs glaces, les trois amies continuèrent à bavarder de tout et de rien.

Tout à coup, Steph poussa un long soupir :

— Dire que tu pars demain, Lisa…

— N'y pense pas maintenant ! répliqua Lisa. Moi, ça me donne le cafard ! Bon, je dois retourner au Pin creux, poursuivit-elle. Il faut que je récupère un livre de la bibliothèque que j'ai laissé dans mon casier.

— Je t'accompagne, dit Carole. Je vais monter Diablo.

— Et moi, je rentre chez moi. Une bonne douche, et, hop ! je file à la pizzeria, annonça Steph d'un ton enthousiaste.

Puis elle regarda Lisa :

— On ne se revoit plus avant le mois de septembre, alors ?

La tristesse se refléta sur le visage de Lisa :

— Ma petite Steph adorée, je t'enverrai un

e-mail tous les jours, je t'appellerai, promis !

Les deux amies s'enlacèrent affectueusement.

— Passe de bonnes vacances chez ton père, reprit Steph, émue. Dis-lui bonjour de ma part.

— D'accord. Oh… je déteste les adieux ! Même si ce sont de faux adieux… Carole, on y va ?

— On y va, murmura Carole.

Elles payèrent leurs consommations, saluèrent Mme Lolly et quittèrent le salon de thé. Une fois dehors, Lisa et Steph se firent la bise une dernière fois, sans un mot. Les observant, Carole songea avec appréhension au moment où, à son tour, elle devrait dire au revoir à Lisa.

*

Une brise légère soufflait quand Carole et Lisa arrivèrent au Pin creux, rafraîchissant l'air. Malgré cela, Carole sentait la sueur couler dans son dos.

— C'est rare qu'il fasse aussi chaud, observa-t-elle.

— C'est vrai. Quand on est au bord de la mer, on supporte la chaleur plus facilement, répondit Lisa.

— Bientôt, ce sera ton cas, veinarde !

Lisa se mit à rire.

— Tu sais, je ne crois pas que je resterai des heures sur la plage, à griller telle une sardine, plaisanta-t-elle. J'aurai des choses bien plus intéressantes à faire !

— Comme aider Skye pendant son tournage...

— Et jouer avec ma petite sœur, et profiter de mon père. L'été passera vite !

— Pour toi, c'est sûr. Pour Alex, à mon avis, ce sera différent.

— Ne m'en parle plus, s'il te plaît, marmonna Lisa. Je finirai par trop culpabiliser !

— Excuse-moi, dit Carole, sincère. Promis,

motus et bouche cousue à ce sujet. À tout à l'heure !

Elle se dirigea vers le bureau pour voir Denise. Au moment où elle pénétrait dans la pièce, la jeune fille raccrochait le téléphone, l'air exaspérée.

— Je viens de discuter avec M. Burns pendant au moins un quart d'heure. Maintenant, il n'est pas d'accord sur le prix facturé !

— Il faut prévenir Max, décréta Carole. Nous, on ne peut pas régler ce genre de problème, et...

La sonnerie du téléphone l'interrompit. Denise décrocha.

— C'est Steph, dit-elle en tendant le combiné à Carole.

La voix de Steph, surexcitée, retentit à l'autre bout de la ligne :

— Carole ! Tout à l'heure, j'ai eu une idée géniale, mais j'ai dû me taire devant Lisa, sinon ce ne serait pas une idée géniale !

— Quelle idée ?

— Devine !

Carole leva les yeux au ciel : ça, c'était typique de Steph !

— Impossible. Des idées géniales, tu en as cent à la minute !

Steph éclata de rire :

— Bon, tu donnes ta langue au chat ? Alors, voilà : demain, samedi, Lisa part à l'aéroport avec Alex à 14 heures. Moi, j'ai la voiture, pas vrai ? Donc, je propose qu'on aille les retrouver vers 15 heures. Ça leur laisse le temps de se faire des bisous et tout, tranquillement. Et puis, coucou, c'est nous ! On débarque avant l'embarquement pour un dernier au revoir ! Mais, surtout, ne la préviens pas ! C'est un secret. Qu'est-ce que tu en penses ?

— Que c'est génial, s'esclaffa Carole. Ah, Lisa, tu as trouvé ton livre ? enchaîna-t-elle, comme celle-ci entrait dans le bureau. À plus tard ! lança-t-elle à Steph.

Elle coupa vite la communication.

Réjouie à l'idée de la bonne surprise qu'elles réservaient à leur amie, elle afficha un sourire radieux.

— Ça va ?

— Oui, répondit Lisa en lui montrant un ouvrage protégé par une couverture plastifiée transparente. Je ne m'attarde pas, la bibli ferme bientôt. Alors, on se dit au revoir maintenant ?

— Euh… oui.

— C'est vrai, Lisa, tu pars demain en Californie ! s'exclama Denise. Quelle chance…

Lisa hocha la tête :

— Oui, si on veut.

Elle serra Carole dans ses bras :

— Tu vas me manquer !

— Toi aussi, tu vas me manquer, murmura Carole, qui éprouvait un drôle de sentiment en jouant cette petite comédie.

Elle savait qu'elles se reverraient le lendemain…

Son amie la regarda, les yeux brillants de larmes.

– Passe un bel été, Carole… Et ne t'occupe pas trop de Fez, promis ? Parle à Callie, elle comprendra, j'en suis sûre.

– Oui, j'en suis sûre, moi aussi, répéta Carole, qui à cet instant ne se souciait pas du tout de Fez et Callie.

Chapitre 7

Samedi, de bonne heure, Carole se rendit au Pin creux non pour travailler – elle n'était embauchée que du lundi au vendredi matin –, mais pour sortir Fez.

N'ayant toujours pas revu Callie, elle devait tenir parole et s'occuper du pur-sang. De toute façon, le bien-être de l'animal lui importait davantage que sa propre fierté. Pour elle, Fez devait être bien traité, point final. Quant à la suite des soins prodigués au cheval, elle aviserait en temps voulu.

Et puis, en début d'après-midi, Steph et elle iraient à l'aéroport pour dire au revoir à Lisa une dernière fois, et cette perspective lui mettait du baume au cœur. «Lisa sera

très contente ! » se répéta Carole en se dirigeant vers le bureau.

Elle trouva Émilie – qui assurait l'accueil
ce matin-là – en train d'organiser l'attribu-
tion des chevaux pour la première reprise.
De temps en temps, la jeune fille aidait
bénévolement l'équipe permanente du Pin
creux.

– Bonjour ! dit Carole.

Avisant un gros bouquet de marguerites
sur la table, elle sourit :

– Quelles belles fleurs ! C'est pour qui ?

Émilie ébaucha un sourire un peu gêné :

– Pour moi.

– Oh, oh ! De la part d'un admirateur ?

– Non. De la part de quelqu'un qui veut
se faire pardonner quelque chose !

– Ah bon ? Qui est-ce ?

– Callie Forester.

– Callie ? s'étonna Carole. Pourquoi ?

Émilie poussa un soupir.

– C'est une drôle d'histoire, confia-t-elle

en posant son crayon et sa feuille de papier. Tu veux vraiment que je te la raconte ?

— Et comment !

De nouveau, Émilie soupira. Carole fronça les sourcils : quel méfait avait donc accompli cette crâneuse de Callie ?

— Ça s'est passé hier, après la balade de Lisa, Steph et Callie, expliqua Émilie. Lisa, Steph et toi, vous étiez déjà parties. Callie a pansé Fez une bonne demi-heure après leur retour et c'est peut-être ce qui a tout déclenché... J'étais à l'écurie, avec PC, et j'ai entendu Callie qui râlait contre Fez, parce qu'il était hyper nerveux. En fait, je crois qu'il est nerveux dès qu'il est enfermé. Et puis il devait être frustré : Lisa et Steph avaient déjà pansé leurs chevaux, alors que, lui, il attendait le bon vouloir de sa maîtresse... Mais bref. À un moment, Callie a failli perdre le contrôle de la situation : Fez piaffait, donnait des coups de sabots. Elle a appelé au secours...

— Carrément ?

— Oui. Enfin, elle n'a pas dit : « Au secours ! » Juste : « Quelqu'un peut m'aider ? » Je lui ai conseillé d'aller chercher Ben. À ce moment-là, elle ne m'avait pas encore vue, précisa Émilie. J'étais toujours dans le box de PC. Eh bien, elle s'est fâchée tout rouge… Elle m'a balancé : « Tu as du toupet ! Tu es là, à côté, et tu ne bouges pas alors que j'ai un problème avec mon cheval ? » Sur ce, je suis sortie du box et je l'ai rejointe. Quand elle a remarqué mes béquilles, elle est restée bouche bée. Puis elle m'a demandé pardon, voilà… Et ce matin j'ai trouvé ce bouquet, avec un mot d'excuses.

Carole émit un sifflement :

— Et qu'est-ce qu'elle t'a écrit, cette peste ?

Émilie se mit à rire :

— Oh, toi, tu ne l'aimes pas beaucoup, Callie. Et je t'avouerai que moi non plus. Mais je préfère lui pardonner. La rancune ne sert à rien. Tiens, lis !

Elle lui tendit une simple carte blanche, sur laquelle quelques mots avaient été tracés à la hâte : « *Excuse-moi, Émilie. Je ne savais pas.* » C'était signé : « *Callie Forester* ».

— C'est vrai, elle ignorait que tu as un handicap, souligna Carole. Tu ne l'avais pas rencontrée avant ?

— Non. D'ailleurs, c'est bizarre. Elle a son cheval en pension ici, mais elle ne vient pas souvent.

« C'est vrai », songea Carole. Depuis l'arrivée de Fez, Callie ne s'était pas beaucoup montrée au Pin creux.

— Peut-être parce qu'elle a la certitude qu'on s'occupe bien de lui, se hasarda-t-elle. Elle a confiance…

— Du coup, elle passe son temps à faire du shopping, c'est ça ? dit Émilie d'un ton moqueur.

— Je ne sais pas, répondit Carole en riant. On n'est pas vraiment copines, elle et moi, et je ne lui demande pas son emploi du temps.

Mais bon, elle t'a présenté ses excuses, c'est déjà ça. Et maintenant, au travail !

— Au travail ? Mais tu es en congé, le samedi ! s'étonna Emilie.

— Pas aujourd'hui. Je vais sortir Fez.

— Toi ? C'est toi qui t'occupes de lui ? s'exclama Émilie.

— Eh oui, moi, Carole l'imbécile ! Jusqu'à ce que j'aie expliqué à Callie qu'elle doit le faire elle-même.

Émilie secoua la tête d'un air désapprobateur :

— Tu es trop gentille, Carole.

— Responsable de mes actes, plutôt…

— Et Diablo ?

— Diablo, malheureusement, doit attendre que je sois libre, répondit Carole d'une voix pleine de remords.

— Explique vite à cette Callie que c'est à elle de le faire, et que tu as d'autres chats à fouetter ! s'indigna Émilie.

— En même temps, si Fez était agréable à

monter, ça ne m'embêterait pas autant, confia Carole. Mais il est si pénible !

— Pénible ? C'est la première fois que je t'entends dire une chose pareille d'un cheval !

— Enfin, « pénible » est peut-être un peu exagéré, rectifia Carole. Mais je n'aime pas le monter, c'est sûr. Entre lui et moi, il y a un rapport de forces qui ne me plaît pas. En plus, le dominant, c'est lui.

Émilie sourit, l'air perplexe.

— Pour l'instant ! Tu finiras par l'amadouer, affirma-t-elle. Tu y arrives toujours !

En se dirigeant vers le box de Fez, Carole garda cette pensée à l'esprit pour s'insuffler du courage.

Et du courage, elle en aurait bien besoin ; elle s'en rendit compte de nouveau alors qu'elle passait devant la stalle du pur-sang pour gagner la sellerie. Dès que Fez la vit, il renâcla. Leur rendez-vous ne s'annonçait pas de tout repos ! « Même seller ce cheval sera une corvée », pensa Carole, la gorge serrée.

— Salut, Ben !

Assis dans un coin de la sellerie, Ben ajustait les sangles des selles des cavaliers juniors.

— Salut, Carole. Tu viens chercher Diablo ?

— Non. Fez. Je dois le sortir. D'ailleurs, si ça ne t'ennuie pas, tu pourrais me donner un coup de main pour le préparer ?

— Bien sûr, répondit-il en se levant aussitôt.

Lui aussi connaissait les problèmes posés par Fez.

Ben alla chercher l'équipement de Fez et le porta jusqu'au box du pur-sang.

Carole s'approcha prudemment de Fez et lui passa une longe, que Ben maintint avec fermeté pendant qu'elle sellait le cheval. Malgré la présence de Ben, Fez ne cessa de bouger, impatient et nerveux. À deux reprises, il essaya même de donner un coup de sabot à la jeune fille.

— Qu'est-ce qu'il m'énerve ! pesta-t-elle.

Il est aussi désagréable que sa maîtresse !

— Elle n'est pas si désagréable que ça, répondit Ben. En tout cas, moins que son frère.

Carole ne put cacher sa surprise :

— Son frère ? Qu'est-ce qu'il t'a fait ?

— Rien. Il parle trop.

Carole se contenta de sourire. Il était normal que Ben le taciturne n'apprécie pas Scott le bavard ! Reportant son attention sur Fez, elle ajusta la sangle de la selle. Cette fois, miracle ! le pur-sang ne broncha pas.

— Merci, Fez. Tu me facilites enfin un peu la tâche, murmura-t-elle.

Puis elle entreprit de le brider, rassurée par Ben, qui continuait à tenir le cheval par la longe. Préparer Fez nécessitait deux fois plus d'efforts que pour un autre cheval.

Carole décida de le conduire au manège. Mieux valait qu'ils restent dans un lieu couvert et protégé. D'abord, le pur-sang ne serait pas distrait aussi facilement qu'à l'extérieur. Ensuite, au cas où il s'emballerait − et, avec lui, tout était possible −, elle pourrait le maîtriser.

Du moins l'espérait-elle…

Mais elle n'avait pas prévu que Max serait là. Il était assis sur un banc, au bord de l'arène, un carnet et un stylo à la main. Sans doute prenait-il des notes pour le cours théorique qu'il proposait aux débutants le samedi matin : l'atelier pédagogique que Carole avait régulièrement fréquenté, plus jeune, en compagnie de Steph et Lisa.

− Carole ? Qu'est-ce que tu fabriques ici ? s'étonna-t-il en levant les yeux. Avec Fez, en plus !

− J'ai proposé à Callie de lui dérouiller un peu les jambes, expliqua Carole d'un ton léger.

Max observa le cheval d'un air perplexe :

− Vraiment ? C'est très gentil de ta part. Fais attention à toi.

Au même instant, Fez recula si brusquement que Carole faillit lâcher les rênes. Aussitôt, elle les agrippa plus fermement.

— Eh bien, il faut le prendre en main, commenta Max, les sourcils froncés. Cette tête de mule en a besoin !

— Je sais.

En se hissant sur Fez, Carole sentit son cœur cogner dans sa poitrine. « Pourvu que ça ne se passe pas trop mal », pensa-t-elle.

Elle talonna doucement le pur-sang, puis, comme d'habitude, alla effleurer le fer à cheval porte-bonheur. Ensuite, elle regagna le centre du manège, s'efforçant d'oublier son appréhension.

Pour échauffer Fez, elle lui demanda de faire le tour du manège dans le sens des aiguilles d'une montre, puis dans le sens contraire. Il lui obéit. Mais, lorsqu'elle voulut enchaîner au trot, le pur-sang s'élança au galop.

— Ho ! Bourrique ! marmonna-t-elle en tirant sur les rênes.

Non sans peine, elle le ramena au pas. Fez se crispa, les oreilles aplaties en signe de fort mécontentement, ou de peur. « Et voilà ! » se dit Carole, la gorge sèche. Encore une fois, il ne réagissait pas bien à son contact, parce qu'elle se sentait mal à l'aise avec lui. Et elle se sentait mal à l'aise avec lui parce qu'il ne réagissait pas bien à son contact. C'était un cercle vicieux.

Et Max qui assistait à ce désastre ! Il gardait les yeux sur son carnet, mais Carole n'était pas dupe : il ne perdait aucun détail de ce qui se déroulait dans l'arène. De même, lorsqu'il supervisait les reprises, il voyait tout, remarquait chaque erreur de geste, de posture, de commandement, mine de rien.

Sauf que, là, les problèmes sautaient aux yeux. La troisième fois que Fez se lança au galop alors qu'elle voulait un simple trot, Max se leva en soupirant :

— Carole, tu t'y prends mal.

Les joues en feu, elle immobilisa sa monture :

— Je sais. Je n'arrive pas à le diriger.

— Parce que tu le laisses *te* diriger, résuma calmement Max. Il se rend compte qu'il est le chef. Dès que tu es arrivée ici avec lui, j'ai vu qu'il te dominait et qu'il le savait.

Carole en eut presque les larmes aux yeux. De honte, de colère, d'humiliation… Elle n'avait encore jamais vécu ce genre d'expérience négative avec un cheval.

— Qu'est-ce que je dois faire ?

— Réfléchis, Carole. Ce cheval est puissant et fier. Son caractère est percutant : il veut défier l'autorité que tu représentes. Si l'autorité ne le défie pas en retour, il en déduit qu'il est le maître. Entre vous deux, c'est ce qui s'est produit… Tu ne le maîtrises pas.

— Oh, merci, Max ! Je m'en étais aperçue, répliqua-t-elle avec un rire moqueur.

Elle se moquait d'elle-même. De son incompétence, de son impuissance, de son désarroi, aussi.

– Alors, je le ramène à l'écurie et je ne m'occupe plus de lui, c'est ça? demanda-t-elle.

– Surtout pas!

Max eut un sourire indulgent:

– Il ne faut jamais s'avouer vaincu, n'est-ce pas? Reprends tout à zéro. Pourquoi as-tu cru qu'il fallait le traiter aussi délicatement? Tout le problème est là, Carole: tu évites de l'affronter, tu le caresses dans le sens du poil, comme si tu avais peur de lui! Or, avec Fez, il faut une main de velours dans un gant de fer!

Retournant s'asseoir, Max croisa les bras sur sa poitrine et sourit de nouveau à la jeune fille.

– Repars à la case départ, Carole. Et débrouille-toi pour lui faire croire que tu le domines. À toi de jouer!

— Je vais essayer, murmura Carole. Merci de ces conseils…

Une boule d'angoisse dans le creux de l'estomac, elle descendit de Fez et le ramena lentement à son box. Elle le dessella, le pansa sommairement – juste pour le principe ! –, lui donna de l'eau fraîche et de la paille. Puis elle le laissa seul. Elle-même décida de se reposer dehors, dans l'herbe, loin des écuries. Là, elle s'efforça de penser à autre chose, de se vider l'esprit, en quelque sorte. Elle songea à Steph, à Lisa, imagina le voyage que cette dernière réaliserait bientôt. Puis elle ferma les yeux et goûta simplement la caresse du soleil sur son visage.

Une demi-heure plus tard, elle regagna les écuries et, après avoir bu un grand verre de limonade bien glacée, elle retourna voir Fez, munie de la selle et de la bride. Cette fois, dissimulant sa crainte, elle regarda le pursang avec détermination.

Il recula d'un pas.

Le cœur battant, Carole continua à l'observer fixement. Sans le moindre geste agressif, sans la moindre parole, elle le mettait au défi. Et ce que ses yeux exprimaient dut suffire, car Fez détourna le regard le premier. Lâchant un soupir de soulagement, Carole l'attacha pour le seller.

— Toi et moi, on ne se connaît pas. Alors, on va faire connaissance, d'accord? Tu es un beau cheval, un champion, et moi, j'aime bien les champions.

Elle s'adressait à lui comme à Diablo, avec douceur et fermeté, sauf que, là, elle espérait donner l'illusion d'être sûre d'elle. «S'il sent que je n'ai pas peur, il n'essaiera pas de m'intimider», se dit-elle en se remémorant les conseils de Max.

Fez resta immobile pendant qu'elle le préparait. Puis elle le prit par les rênes et le mena vers le manège, tout en gardant les yeux fixés droit devant elle. «Surtout, ne pas le regarder», se répéta-t-elle. Fez risquerait de croire qu'elle guettait son approbation.

Ils pénétrèrent dans l'arène, où Max se trouvait toujours, assis sur le même banc. Il leva à peine les yeux vers le cheval et sa cavalière, mais Carole savait qu'il les attendait.

Fez esquissa une foulée au moment où elle lançait sa jambe par-dessus le dos du cheval. À la même seconde, tout en gardant son équilibre, elle tira sur les rênes d'un coup sec. Le pur-sang se figea aussitôt.

— C'est bien, Fez, murmura-t-elle en lui flattant l'encolure.

Elle le conduisit jusqu'au fer à cheval porte-bonheur, qu'elle effleura rapidement, regagna le manège et demanda au cheval de décrire des cercles, au pas.

Il lui obéit.

À un moment, il renâcla, secouant la tête avec agitation. Carole tira sur les rênes, un peu trop brutalement peut-être ; mais, en tout cas, cela produisit son effet : Fez se calma et conserva son allure. Après quoi, obéissant à Carole au doigt et à l'œil, il poursuivit au trot, sans broncher. Il était devenu un tout autre cheval.

« Quel revirement ! » songea Carole, fière des résultats spectaculaires qu'elle venait d'obtenir.

– Beau travail, Carole, commenta Max.

Fidèle à ses habitudes, il restait réservé. Mais, pour Carole, ces quelques paroles suffisaient largement.

– Merci, Max ! s'exclama-t-elle, réjouie.

Une demi-heure plus tard, Carole ramena le pur-sang à son box et le dessella. Tout en le pansant, elle s'émerveillait de la transformation du cheval. Une véritable métamorphose ! Elle avait compris son erreur. Avant, elle lui avait laissé le champ libre, et il s'en était donné à cœur joie : il avait agi comme s'il n'avait pas été éduqué. C'était à elle, sa cavalière, de lui rappeler ce qu'il avait appris en cours de dressage ou de l'aider à améliorer son comportement. Maintenant, Fez serait agréable à monter ! Pas autant que Diablo, bien sûr, mais au moins prendrait-elle plaisir à le retrouver !

Contemplant le cheval, Carole fut envahie d'un sentiment nouveau, un mélange d'affection et d'exaltation.

– Tu mérites une récompense, tiens ! Ça te plairait de rester dehors, au grand air ? Oh, quelle question…

Elle courut demander à Max la permission de laisser le pur-sang à la pâture jusqu'à ce qu'elle revienne de l'aéroport. Max fut d'accord. Elle retourna à l'écurie et fit sortir Fez en lui tapotant affectueusement l'encolure. Puis, heureuse de faire plaisir au cheval, elle le mena au pré :

– Profites-en, champion !

Le pur-sang hennit gaiement, s'ébroua et s'élança sur le terrain d'un bond puissant.

Carole le suivit d'un regard admiratif. Quel cheval magnifique ! Elle l'observa quelques instants avant de regarder sa montre. Il était presque midi ! Fez lui avait pris toute sa matinée, si bien qu'elle n'avait plus le temps de sortir Diablo. Elle devait rentrer chez elle, prendre une douche et se changer. Ensuite, elle se rendrait à l'aéroport avec Steph pour retrouver Lisa.

Chapitre 8

Quatre heures plus tard

On n'entendait plus que le bruit rythmé des essuie-glace et le crépitement de la pluie sur la carrosserie.

Cramponnée à son siège, Carole jeta un coup d'œil à Steph. Le visage contre le volant, la jeune fille ne bougeait pas.

— Steph ! Steph ? Ça va ?

— Je crois que oui…

Steph se redressa lentement. Elle était très pâle.

— Et toi ? fit-elle.

— Oui… Callie ? Ça va ? Callie ? répéta Carole d'une voix étranglée par l'angoisse.

Seule la respiration saccadée de la jeune fille leur répondit. Se retournant vers la banquette arrière, Carole vit que Callie était à moitié allongée, la tête renversée sur le dossier, les yeux fermés.

— Callie?

Pas de réponse.

— Elle s'est évanouie! souffla Carole.

— Toi, tu peux bouger? murmura Steph.

Carole sentait une forte pulsation dans son poignet droit et une douleur lancinante dans tout le bras, sans doute parce qu'elle avait heurté le tableau de bord quand la voiture avait fait le tête-à-queue. Elle remua ses orteils, ses doigts, lentement.

— Oui, ça va. Et toi?

— Oui. J'ai mal au ventre, là où je me suis cognée, mais je pense que je n'ai rien de grave. Mais... Callie?

À son tour, Steph regarda la jeune fille inconsciente. Callie respirait avec difficulté, les paupières closes. Livide.

— Il vaut mieux ne pas la déplacer, ni la toucher. On... on doit vite aller chercher de l'aide, balbutia Steph.

— On est à côté du Pin creux, observa Carole, scrutant l'extérieur à travers le pare-brise balayé par les torrents de pluie. Viens...

Carole et Steph sortirent de la voiture. Les trombes d'eau qui s'abattaient du ciel les trempèrent instantanément. Tremblant de tous ses membres, Carole éprouva une sensation incroyable et extraordinaire : celle d'être indemne, en vie... Des larmes inondèrent son visage, se mêlant à l'eau de la pluie.

— Steph ! On n'est même pas blessées !

— Nous, non... Ah, voilà les secours...

Sur la route, au loin, une ambulance se dirigeait vers eux, gyrophare allumé. Le véhicule se gara à quelques mètres de la voiture accidentée, et deux hommes en tenue de secouristes vert fluo se précipitèrent vers les jeunes filles.

— Comment ça va ? demanda l'un d'eux.

— Pas trop mal, répondit Steph. Mais notre amie, dans la voiture, s'est évanouie… On ne l'a pas bougée.

— Vous avez bien fait. Venez vite vous mettre à l'abri, ordonna l'autre secouriste en leur faisant signe de pénétrer dans l'ambulance.

Son coéquipier s'était engouffré dans la voiture de Steph pour examiner Callie.

Une fois dans l'ambulance, Carole se mit à claquer des dents. En dépit de son propre malaise, elle se rendit compte que Steph grelottait aussi.

— Vous êtes en état de choc, observa gentiment le secouriste. Allongez-vous…

Steph et Carole s'étendirent chacune sur une civière. On posa une couverture sur elles, et on leur donna un masque à oxygène. Carole pensait ne pas en avoir besoin, mais elle fut bien obligée de se laisser faire. Peu à peu, elle se sentit gagnée par une agréable torpeur. Elle ferma les yeux, incapable de lutter contre l'engourdissement qui s'emparait d'elle.

*

Des voix, entrecoupées de signaux sonores, résonnaient à côté d'elle. Il faisait chaud, trop chaud… Où diable se trouvait-elle ?

Entrouvrant les paupières, Carole regarda autour d'elle. Des murs blancs, un néon aveuglant… Elle referma les yeux, puis les rouvrit aussitôt, happée par la réalité.

Elle était à l'hôpital.

— Tout va bien, ma puce, déclara alors une voix familière.

La gorge en feu, la jeune fille tourna la tête. Son père était assis à son chevet, l'air inquiet, mais souriant.

— Tu as dormi deux bonnes heures… Et c'est très bien ainsi, ajouta-t-il doucement. Comment te sens-tu ?

– J'ai très soif…

– Je t'apporte à boire tout de suite.

Le temps que son père revienne avec un verre d'eau, Carole se remémora en un éclair la tragique succession d'événements. Elles rentraient de l'aéroport, où elles avaient dit au revoir à Lisa… Il y avait eu un orage terrible, et la pluie, toute cette pluie… Et cette chose, cette masse sombre, immense, qui avait foncé sur leur voiture… Un spasme d'angoisse lui contracta l'estomac. Au fond d'elle-même, elle se doutait de ce que c'était ; de *qui* c'était. Ses paupières lui piquèrent. Oh, non, quel cauchemar !

Son père lui tendit le verre.

– Merci…

Elle but quelques gorgées.

– Papa, est-ce que tu sais ce qu'on a heurté ? murmura-t-elle.

– Oui. Mais je ne suis pas sûr que tu sois en état de l'entendre.

— Dis-le-moi, papa.

Elle croisa le regard triste de son père et réprima un frisson.

— S'il te plaît, insista-t-elle.

Il laissa échapper un soupir, et détourna les yeux :

— C'était un cheval.

— Lequel ?

— Un pur-sang. Celui qui appartient à la fille de M. Forester.

Fez.

Elle le savait. Elle le savait ! Il avait eu peur de l'orage, s'était échappé du pré où elle l'avait laissé... Ce drame était de sa faute !

Luttant contre une terrible sensation d'oppression, Carole essaya de garder les idées claires :

— Et comment va Callie ?

— Callie ?

— La fille de M. Forester, papa. Elle s'appelle Callie. Elle était avec nous dans la voiture.

— Ah… Eh bien, elle est toujours inconsciente. Les médecins sont en train de l'examiner.

Carole sentit sa poitrine se comprimer encore plus.

— Et Steph?

— Elle ne va pas trop mal. Elle se repose dans la chambre voisine. Ses parents sont là. Apparemment, elle n'aurait qu'une côte cassée. Toi, tu as juste quelques bleus et bosses, ma chérie, ajouta M. Hanson. De petites égratignures… Tu l'as échappé belle.

Oui, mais… Et Callie? Et Fez?

Carole sentit des larmes brûlantes couler sur ses joues.

*

Il pleuvait encore quand ils quittèrent l'hôpital, tous ensemble : Steph, Alex, M. et Mme Lake ; Carole et son père. Auparavant, ils avaient dû signer une déposition destinée à la police, en présence des secouristes et des parents de Callie. De l'avis général, l'accident semblait avoir été inévitable. Le cheval s'était rué sur la voiture de Steph, chargeant comme un taureau fou. Cependant, une enquête serait menée.

Pour l'instant, le pur-sang était en vie. Pour l'instant. Son sort dépendait de Julie Barker, la vétérinaire du Pin creux.

Callie restait hospitalisée en unité de soins intensifs. Elle souffrait d'un traumatisme crânien, et les médecins la disaient dans un état comateux. Ils réservaient le pronostic sur son état.

La mort dans l'âme, Carole s'assit dans la voiture de son père. Puis, les mains jointes, crispées, elle regarda fixement les essuie-glace balayer la vitre, incapable de penser à quoi que ce soit.

Chapitre 9

Pour Carole et Steph, les deux semaines suivantes furent les plus longues de leur vie.

À l'issue de l'enquête, la police déclara officiellement que Steph n'était pas responsable de l'accident. Un autre conducteur se trouvait derrière la voiture de Steph et avait assisté à la scène : il avait affirmé qu'en aucun cas la jeune fille n'aurait pu éviter le cheval. Fez avait bel et bien foncé sur sa voiture, à une telle allure que même un conducteur expérimenté n'aurait su empêcher la collision.

Mais ce constat ne consolait pas Steph. Elle se sentait affreusement coupable, et dès qu'elle voyait Carole elle lui confiait ses angoisses.

— Je me moque de ce qu'ils disent, répétait-elle. C'est moi qui étais au volant, et j'aurais dû faire quelque chose !

— C'était impossible, tu comprends ? répliquait patiemment Carole. Fez était incontrôlable… On aurait même pu avoir un accident encore plus grave !

En effet, les secouristes avaient estimé que, dans leur malheur, les jeunes filles avaient eu de la chance. Déjà, elles portaient leurs ceintures de sécurité, ce qui avait minimisé les dommages. Plus important, la voiture avait juste fait un tête-à-queue. Si Steph avait roulé à peine plus vite, les conséquences auraient été beaucoup plus dramatiques : tonneaux, dérapage, autres chocs… En y pensant, les deux amies avaient des sueurs froides.

Elles avaient prévenu Lisa par e-mail. Aussitôt, leur amie les avait appelées, affolée. Toutes les trois avaient longuement parlé au téléphone. Cependant, plus elles évoquaient le drame, plus la situation leur paraissait pesante et insupportable. Elles finirent alors par ne plus aborder le sujet… Et continuèrent à agir, s'efforçant de seconder Julie, la vétérinaire, à défaut de pouvoir aider Callie, toujours dans le coma.

L'état de la jeune fille demeurait stationnaire, c'est-à-dire qu'il ne s'aggravait pas, mais ne s'améliorait pas pour autant. Max leur communiquait régulièrement les nouvelles, que lui-même recevait de M. ou Mme Forester. Steph et Carole n'étaient pas autorisées à rendre visite à Callie.

Dans un sens, c'était préférable. Ç'aurait été trop dur de voir leur camarade dans cet état, de se sentir aussi impuissantes, et presque coupables d'être saines et sauves.

Alors, spontanément, Carole et Steph concentrèrent toute leur attention sur Fez.

Grâce à Julie, le pur-sang recevait les meilleurs traitements existants. En général, quand un cheval avait subi des blessures aussi graves, on n'essayait pas de le maintenir en vie, étant donné qu'il avait peu de chances de se rétablir. Et puis, les soins coûtaient cher… Mais Fez était un valeureux champion : il fallait tout mettre en œuvre pour le sauver.

En plus des diverses plaies et lésions qui lui laisseraient des cicatrices indélébiles, Fez avait une jambe cassée : il risquait fort d'être handicapé à vie. Steph et Carole savaient que la moitié du poids d'un cheval repose à l'arrière, sur ses jambes, puissantes et musclées ; l'autre moitié sur ses membres antérieurs, minces et fragiles. Là, toute blessure s'avérait souvent incurable.

Or, dans l'accident, Fez s'était brisé l'un des antérieurs.

Julie gardait le cheval dans sa clinique, maintenu par un harnais spécial qui lui permettait de rester debout en effleurant à peine le sol : ainsi, il conservait une certaine mobilité, sans s'appuyer sur son membre défaillant, et pouvait manger et boire. Mais, naturellement, il lui était impossible de marcher.

Et il en souffrait beaucoup.

Carole allait le voir presque tous les jours. Maintenant qu'elle le connaissait mieux, elle l'appréciait de plus en plus, en dépit de son caractère nerveux et irascible. Attaché dans son box de convalescence, Fez ne cessait de piaffer et de renâcler, et, chaque fois qu'il essayait de se libérer du harnais, il avait si mal à sa jambe blessée qu'il hennissait de désespoir. Julie lui administrait des antalgiques, espérant alléger sa douleur…

Et lui épargner le pire.

Quand Carole ne pouvait pas lui rendre visite, c'était Steph qui passait lui dire bonjour. Elle restait avec lui et le consolait en lui parlant longtemps, avec douceur, tout comme Ben, très affecté par l'état du superbe pur-sang. Avec Julie, ils parvinrent à le soulager un peu. Au bout d'une semaine, le cheval blessé leur témoigna une certaine confiance. Il n'essayait plus de ruer et s'agitait un peu moins. Ses amis se réjouirent de ce progrès.

*

Le Dr Amandson était satisfait : il avait opéré Callie et réussi à soigner les conséquences de l'hémorragie intracrânienne qui avait provoqué le coma. Et quinze jours après l'accident, un lundi à trois heures du matin, Callie ouvrit les yeux.

À l'heure du déjeuner, Carole se trouvait dans le box de Diablo, quand Max vint lui apprendre la nouvelle.

— Génial ! s'écria-t-elle, émue aux larmes. Je file à l'hôpital !

Max secoua la tête :

— Seuls les parents de Callie peuvent s'y rendre, tu t'en doutes bien. Mais ils m'ont promis de passer nous voir.

— Quand ?

– Tout à l'heure. Sois patiente…

Facile à dire !

L'esprit en effervescence – elle avait hâte de parler à Callie, de lui exprimer sa joie, son soulagement, son désir de mieux la connaître…–, Carole partit faire une petite balade avec Diablo. Et, comme toujours lorsqu'elle montait son cheval, elle ressentit un réel apaisement. Ses soucis semblèrent se dissiper… Un peu, du moins.

Quand elle rentra au Pin creux, elle remarqua aussitôt le luxueux véhicule tout-terrain garé à l'entrée du club. La Jeep de M. et Mme Forester ! Carole mena Diablo à son box, lui donna de l'eau fraîche, mais, exceptionnellement, elle ne le pansa pas.

– Il y a une urgence, mon beau. Je reviens tout de suite, promis !

Elle quitta les écuries et courut vers le bureau. Elle y retrouva Max, Steph – qui venait d'arriver –, Scott et ses parents.

– Ah, bonjour, Carole, dit M. Forester.

Comment vas-tu ?

La jeune fille fut étonnée qu'il lui parle aussi familièrement. Pourtant, ils ne s'étaient jamais rencontrés... L'aurait-il aperçue à l'hôpital ?

— Bien, merci. Et Callie ? s'enquit-elle.

— Elle est réveillée, Dieu soit loué, répondit Mme Forester avec un pâle sourire. Elle a mangé de la compote de pommes... Elle a voulu savoir comment se porte Fez.

— Qu'est-ce que vous lui avez dit ? demanda Carole, croisant brièvement le regard de Steph.

— Qu'il est bichonné par deux super cavalières du Pin creux, intervint Scott en lançant un clin d'œil amical à Steph.

Carole crut voir son amie rougir. En dépit des circonstances, elle en fut amusée.

— Callie est très heureuse de savoir que vous vous occupez de son cheval, reprit M. Forester. Elle lui est déjà très attachée, je crois.

Carole hocha la tête :

— En effet, Fez est très attachant. Il est spécial, très spécial, même… mais, quand on le connaît, on l'aime.

— Comme ma chère sœur, en somme, commenta Scott d'un ton moqueur. Dommage, il faut toujours qu'elle se fasse remarquer !

— Scott, je t'en prie ! le sermonna sa mère. Ce n'est pas drôle.

Un silence s'établit quelques instants dans la pièce ; puis Max déclara :

— Les filles, je crois que les parents de Callie ont autre chose à vous annoncer. N'est-ce pas ? ajouta-t-il, s'adressant à M. et Mme Forester.

— C'est vrai, commença Mme Forester. Je…

Elle se racla la gorge.

— Le Dr Amandson nous a appris que Callie resterait légèrement handicapée pendant quelque temps.

— Elle souffre d'une paralysie du côté

gauche, enchaîna M. Forester. Mais c'est un moindre mal, compte tenu de la gravité de son traumatisme crânien.

— Un moindre mal ? répéta Carole, perplexe.

— Elle aurait pu être beaucoup plus affectée, précisa Mme Forester. Aujourd'hui, Callie peut parler, raisonner et utiliser ses cinq sens. Mais, pour l'instant, elle est paralysée du côté gauche.

— Complètement ? murmura Steph.

— Elle ne peut pas utiliser sa jambe, dit Scott. Les médecins ne savent pas qu'elles seront les séquelles...

— Ils sont optimistes, mon chéri, insista sa mère. Callie est jeune et en pleine santé, et...

Sa voix se brisa.

— Enfin, elle était en pleine santé, lâcha-t-elle tout bas.

Croisant le regard triste de Steph, Carole

devina à quel point son amie était boule-
versée par cette nouvelle. Elle devait se
sentir plus coupable que jamais… « Ce n'est
pas de ta faute ! » essaya-t-elle de lui dire
silencieusement.

Peine perdue ! Elle connaissait trop bien
Steph pour ne pas deviner ses pensées.

– Callie devra suivre de nombreuses
séances de rééducation, poursuivit Mme
Forester. Les médecins nous ont expliqué
que la partie de son cerveau qui contrôle les
mouvements du côté gauche de son corps a
été endommagée. Si, par malchance, cette
zone-là ne guérissait pas, l'autre hémisphère
pourrait prendre le relais. La kinésithérapie
fait parfois des miracles, paraît-il. Dans tous
les cas, il faudra que Callie apprenne à vivre
avec son handicap. Elle doit bouger le plus
possible pour retrouver ses réflexes…

– D'où une autre information, qui
concerne plus directement Steph et Carole,
intervint Max. Dès que possible, nous

proposerons à Callie des séances de thérapie équestre.

— Quelle bonne idée ! s'exclama Steph. Monter à cheval lui permettra de guérir plus vite… Et Émilie pourra sûrement l'aider !

Max sourit :

— C'est exactement ce que j'ai expliqué à M. et Mme Forester. J'ai pensé que vous pourriez en discuter avec Émilie, Callie et son kinésithérapeute

— De toute façon, rien ne se fera sans l'accord du kiné, précisa M. Forester.

— Je suis certaine qu'Émilie laissera Callie monter PC, fit Carole, très émue.

— Et PC est le meilleur kiné au monde ! renchérit Steph, les yeux brillants d'espoir.

Carole lui sourit. Depuis le drame, c'était la première fois que le visage de son amie s'illuminait de nouveau.

Chapitre 10

Un mois plus tard

L'orage de ce « samedi noir », jour de l'accident, avait été le premier d'une longue série, si bien qu'à présent il faisait moins chaud à Willow Creek. Grâce aux pluies rafraîchissantes, la forêt, les champs et les prairies autour du Pin creux étaient d'un vert éclatant, éclaboussés de fleurs sauvages aux couleurs vives. Leur parfum embaumait l'air, doux et tenace tout à la foix.

Inspirant avec délice, Carole gagna les écuries. Elle venait d'achever son travail matinal au bureau et était impatiente de rejoindre Steph et Émilie.

Comme souvent ces derniers temps, elle

les trouva à la clinique vétérinaire de Julie. Fez restait sous haute surveillance, toujours harnaché. Sa convalescence ne s'annonçait pas facile. Un jour, l'optimisme prévalait ; le lendemain, on craignait le pire.

— Salut ! lança Carole en entrant dans son box.

— Salut, répondirent Steph et Émilie en chœur. Ça va ?

— Oui. Et vous ?

Steph esquissa une grimace :

— Bof… Fez n'a pas beaucoup d'appétit. On a beau lui parler, le consoler et essayer de lui changer les idées, il déprime, c'est clair.

— C'est normal, murmura Carole.

Elle prit une carotte dans sa poche et la tendit au cheval. Fez avança la tête et essaya de lui mordiller les doigts.

— Ouille ! Coquin ! Tu n'as pas perdu ton caractère de cochon, en tout cas ! s'esclaffa-t-elle.

Dans un sens, c'était bon signe. Compte

tenu des circonstances, le tempérament fougueux de Fez devenait un atout. Plus que jamais, son énergie vitale était essentielle.

— Monsieur Fez, ignorez-vous qu'on ne doit jamais mordre la main qui vous nourrit ? le rabroua Steph.

En guise de réponse, le pur-sang souffla bruyamment.

— Trop aimable, dit Émilie, en riant elle aussi. Mais on te comprend, va... Tu es encore trop mal en point. À ce propos, devinez qui m'a appelée ?

Carole et Steph échangèrent un coup d'œil perplexe.

— Callie ! annonça Émilie. Elle m'a téléphoné juste après sa séance de rééducation à l'hôpital. Son kiné l'encourage à reprendre l'équitation pour accélérer son rétablissement. Il connaît un centre spécialisé de thérapie équestre, mais Callie a insisté pour monter au Pin creux. Et elle veut que je sois sa monitrice !

Carole et Steph poussèrent un cri de joie. Lorsque le projet d'hippothérapie avait été évoqué devant la famille Forester, tout le monde s'était montré enthousiaste… sauf Callie. Il avait fallu la rassurer et la motiver. La jeune fille était durement affectée par son handicap. Elle avait le moral à zéro. Alors, persuadées qu'elle irait mieux en retrouvant le calme du Pin creux – et surtout la bonté, la gentillesse des chevaux –, les trois amies lui avaient écrit une longue lettre. Puis, à tour de rôle, patiemment, elles lui avaient parlé au téléphone, et l'avait convaincue.

– Émilie, tu seras une monitrice de rêve ! affirma Carole.

Émilie hocha la tête :

– Ta, ta, ta… Dis plutôt que Callie montera un cheval de rêve !

Émilie vouait une confiance absolue à son cheval, et tous ceux qui connaissaient PC partageaient son sentiment.

– C'est vrai, PC est exceptionnel, déclara Steph.

– Exceptionnel, merveilleux, merveilleusement exceptionnel, quoi ! Et je parie qu'il sera ravi d'avoir une autre cavalière que ma modeste personne, ajouta Émilie avec humour. Callie et PC commenceront mercredi prochain, le matin. J'espère que vous serez là, toutes les deux.

– C'est sûr ! répondit Steph.

– Archisûr ! confirma Carole. Rater ce beau moment ? Jamais !

– Tant mieux, parce que j'aurai quand même besoin d'encouragements, reprit Émilie. Callie viendra avec son kiné, ses parents et son frère. Tout le comité, quoi... D'ici là, on a beaucoup de choses à préparer.

Soudain, Carole se rendit compte que Steph s'était rembrunie. Les yeux dans le vague, elle se mordillait la lèvre inférieure.

– Ne t'inquiète pas, Steph, ils savent bien que tu n'es pas responsable de ce qui s'est passé, dit-elle, devinant les noires pensées de son amie.

— Oui… N'empêche, je me sens quand même coupable, murmura Steph en haussant les épaules. Callie a failli mourir ! Aujourd'hui, elle est handicapée, et Fez est en sursis. Tout ça parce que j'étais au volant.

— Non ! s'écrièrent Carole et Émilie à l'unisson.

— C'est la faute à pas de chance, poursuivit Émilie. Sans cet orage, il n'y aurait pas eu d'accident !

— Exact, intervint Carole. C'est le tonnerre qui a effrayé Fez ! En fait, s'il devait y avoir un responsable, ce serait moi…

Steph fronça les sourcils :

— Qu'est-ce que tu racontes ?

— Eh bien, c'est moi qui ai laissé Fez dans le pré ! S'il n'avait pas été dehors, rien ne se serait passé.

— On n'en sait rien, trancha Émilie. Et on

ne saura jamais! Ce qui compte aujour-
d'hui, c'est d'aider Callie à s'en sortir!

*

Mercredi matin, Carole, Steph et Émilie
préparaient PC pour Callie, dehors, devant
le bâtiment des écuries, quand Scott Forester
arriva à vélo, seul.

Le jeune homme jeta un coup d'œil hésitant autour de lui, puis il se dirigea vers les
jeunes filles. Carole remarqua que Steph se
plaçait en retrait, derrière le cheval, comme
si elle espérait devenir invisible aux yeux du
frère de Callie... qui, bien sûr, la repéra aussitôt.

— Bonjour, ma livreuse de pizza préférée! clama-t-il d'un ton théâtral.

— Bonjour, marmonna Steph en détour-
nant le visage.

Carole sourit au jeune homme:

— Salut! C'est un grand jour, aujourd'hui.

— Mouais…

Scott ébaucha une grimace :

— Moi, je trouve ça un peu dingue, quand même. Faire monter ma sœur alors qu'elle est à moitié paralysée…

— À cheval, elle redeviendra comme toi et moi, affirma Émilie.

Prenant appui sur la béquille glissée sous son aisselle gauche, elle tendit sa main à Scott :

— Je suis Émilie Williams.

Scott lui serra la main, l'air surpris. Un sourire gêné se dessina sur ses lèvres :

— Je ne savais pas que tu…, lâcha-t-il en jetant un coup d'œil sur la béquille de la jeune fille.

— Que je suis handicapée ? compléta Émilie d'un ton vif. J'ai l'habitude qu'on réagisse de cette façon. Et, justement, à cheval, je suis comme tout le monde… J'oublie que je ne peux pas utiliser mes jambes comme je le voudrais, tu comprends ? Je sais utiliser tout le reste ! Et PC, mon cheval, m'aide beaucoup... Il sait. Il *sait*, insista-t-elle gentiment.

Scott semblait très embarrassé :

— Excuse-moi, Émilie, je ne voulais pas... Pardon, je suis nul ! Je n'y connais rien, tu vois. Mes parents ne m'avaient pas prévenus, ma sœur non plus, donc je suis tombé des nues... Tiens, ça rime !

Carole regarda Steph et Émilie. Elles souriaient ; comme elle-même, d'ailleurs. Scott Forester était un vrai charmeur...

— Oh, je ne t'en veux pas, affirma Émilie. À ta place, je serais aussi inquiète !

Scott arqua un sourcil :

— Vraiment ?

— Vraiment. D'ailleurs, j'étais même si inquiète que j'en ai parlé au kiné de Callie. Et c'est ensemble qu'on a conçu un programme de rééducation pour ta sœur. Et puis, je ne serai pas la seule à travailler. Le véritable moniteur, que dis-je, le véritable docteur, c'est mon cheval, PC! Le meilleur prof au monde!

Elle caressa l'encolure de son cheval. Docile, PC ne broncha pas.

— Il s'appelle PC? demanda Scott en riant. Comme un ordinateur?

— Sauf que, dans son cas, PC ne veut pas dire «Personal Computer», mais «Plein de Courage», expliqua Émilie.

Carole et Steph échangèrent un regard amusé. Au Pin creux, la signification des initiales «PC» était un éternel sujet de plaisanterie. Chaque fois que quelqu'un interrogeait Émilie sur cette abréviation, elle donnait une réponse différente, correspondant aux lettres.

— Ça signifie aussi Prince charmant, ajouta la jeune fille, une lueur amusée au fond des yeux. PC est mon prince... Maintenant, laissez-moi seule avec lui, s'il vous plaît, poursuivit-elle d'un ton catégorique. On doit se concentrer!

Carole, Steph et Scott s'éloignèrent. Au passage, Scott reprit son vélo.

— Tu as voulu profiter du grand air ? lui demanda Steph.

— Pas vraiment, marmonna Scott. Je suis privé de voiture pendant un mois.

— Pourquoi ? Tu as eu un... accident ?

— Tu parles ! J'ai juste un peu cabossé le pare-chocs, il y a quelque temps. Mauvaise manœuvre. Ça arrive... Mais, comme je l'ai caché à mon père, j'ai été puni... Il a des principes stricts !

Steph jeta un coup d'œil surpris à Carole, qui lui sourit. Elle se rappelait que Steph avait cru heurter la voiture de M. Forester le soir où elle leur avait livré une pizza... Eh bien, sur ce point-là, la responsabilité de son amie était définitivement écartée !

Les jeunes gens se dirigèrent vers l'allée centrale du Pin creux. Au même moment, la Jeep de la famille Forester s'y engagea et se gara. M. et Mme Forester descendirent du véhicule, accompagnés d'un homme corpulent d'une cinquantaine d'années, sans doute le kinésithérapeute de Callie.

Carole sentit sa gorge se nouer. Elle avait hâte de revoir Callie, d'apprendre à mieux la connaître... Tout comme elle avait appris à mieux connaître Fez et à l'aimer. Elle espérait que Callie et elle seraient amies.

Le kinésithérapeute aida Callie à descendre de la voiture. Pâle, amaigrie, la jeune fille s'appuyait sur des béquilles.

— Bonjour, Callie, dit Carole en s'avançant vers elle.

Spontanément, elle l'embrassa sur la joue :

— Bienvenue au Pin creux.

Callie la regarda d'un air hésitant, puis sourit :

— Merci, Carole. Ça me fait plaisir d'être ici. Bonjour, Steph. Je vous présente Jack Lommer, mon kiné.

— Appelez-moi Jack, ce sera plus simple, proposa l'homme avec un sourire chaleureux.

À cet instant, Max les rejoignit. Comme Carole, il fit la bise à Callie, puis serra la main aux parents de la jeune fille, à son frère et à M. Lommer.

— Émilie et PC vous attendent, annonça-t-il. Allons-y.

Tous ensemble, ils gagnèrent les écuries. Émilie en sortait, menant PC.

— Bonjour, dit-elle à Callie. Je suis très heureuse de te voir. Tu connais déjà PC, n'est-ce pas ?

— Oui...

Des larmes brillèrent dans les yeux de Callie :

— Je n'aurais jamais imaginé qu'un jour je serais... comme toi...

Elle s'interrompit, des sanglots dans la voix.

— Ne t'inquiète pas, Callie, je comprends, affirma doucement Émilie. On tourne la page, maintenant.

Essuyant ses paupières, Callie s'avança vers PC et lui caressa les naseaux.

– Alors, c'est toi qui vas m'aider à marcher de nouveau ? murmura-t-elle.

– PC donnera le meilleur de lui-même, lui assura Émilie. Il est merveilleux... Je sais de quoi je parle ! Bien, on commence ?

Très émue, Steph alla chercher un marchepied et aida Callie à monter sur le cheval. Dès qu'elle fut en selle, Émilie et Jack prirent la situation en main. Steph, Carole, Scott, M. et Mme Forester s'écartèrent discrètement.

Steph se retrouva près des parents de Callie. Elle leur jeta un bref coup d'œil, l'air hésitante. Carole sentit qu'elle aurait voulu leur exprimer sa tristesse, ses regrets pour ce qui s'était passé. Son cœur se serra. Son amie était marquée à vie par le drame qui laissait Callie handicapée... Comme elle-même et tout le monde, d'ailleurs.

Bouleversés, M. et Mme Forester observaient leur fille qui évoluait calmement à cheval, autour de la carrière, sous l'œil vigilant de Jack et d'Émilie. À un moment, en silence, M. Forester posa une main affectueuse sur l'épaule de Steph. Mme Forester en fit autant. Steph baissa les yeux pour cacher ses larmes. Les mots n'étaient pas nécessaires. Les parents de Callie avaient compris ce qu'elle ressentait, et en dépit de leur propre chagrin ils essayaient de la rassurer.

— Si on allait faire un tour ? proposa Carole à Steph.

— Bonne idée...

À présent, Callie avait seulement besoin de l'aide de Jack, d'Émilie et de sa famille.

Carole et Steph s'éclipsèrent. Elles se dirigèrent vers un pré, derrière les écuries, d'où l'on apercevait le paddock où travaillaient Callie et PC. Elles s'assirent au pied d'un arbre et restèrent sans rien dire quelques secondes.

— Lisa me manque, murmura Steph.

— À moi aussi, dit Carole. On lui écrira tout à l'heure...

— Oui. Tu crois qu'elle va s'en sortir ? poursuivit Steph, les yeux fixés sur Callie.

— Je l'espère. En tout cas, aujourd'hui, elle a l'air de bien se débrouiller…

— Aujourd'hui, oui. Mais demain ? Et après-demain ? À ton avis, elle se rétablira complètement ?

— Un jour ou l'autre, elle ira mieux, dit Carole. Ça aurait pu être pire.

— Je sais. Et je suppose qu'on ne devrait pas en demander davantage.

— Soyons patientes. Callie va guérir… Mais quand ? Mystère. Ce sera long.

— Oui. Très long…

À suivre…